上級学習者向け日本語教材

日本文化を読む

アルク
www.alc.co.jp

刊行にあたって

近年、日本語を学ぶ外国の人たちのニーズはますます多様化し、その数も増え続けています。学ぶ人たちにとって、言葉を聞く、話す、そしてまとまった文を読む、書く、といった技能は、それぞれに大変難しいものですが、中でも「読む」ことは、漢字語彙《ごい》の問題、日本語独特の文脈の理解の困難もあり、ハードルが高いようです。

本書は、「読む」学習を続けてきた人たちが、上級あるいはその上のレベルでチャレンジする読解教材として制作しました。上級段階になると、学習者のニーズに合わせた多様な教材を提供することが望まれますが、本書は「文化を目指した」上級教科書として、社会評論、科学評論、文学、歴史、などの多分野から作品を選びました。作品を選ぶにあたっては、特に「京都、関西からの発信」を意識しました。京都、関西の文化を広く伝えたいという趣旨でもあります。

本書は、(公財)京都日本語教育センターの上級授業で十学期にわたり、使用、訂正を繰り返してきましたが、まだまだ不適切な点が多々あると思われます。今後、皆様のご批評、コメントをいただき、よりよいものにしていきたいと思います。

この教科書が、日本の文化に興味を持つ多くの学習者に、長く役立つものになることを願っております。なお、本書の編纂には、(公財)京都日本語教育センターの井上真理、吉田道子、西原純子が当たりました。

最後に、本書の発刊にあたり大変なご尽力をいただいた株式会社アルクの新城宏治氏に厚くお礼を申し上げます。

二〇〇八年十月

(公財)京都日本語教育センター
京都日本語学校
校長　西原純子

本書の使い方

1　各課をゆるやかにジャンル分けし、タイトルの右側にそれを付記した。
2　固有名詞など特別な語句に、番号を付記して、本文下に注として記載した。
3　本文を理解する上での注意点に＊を付記し、設問をつけた。それを手がかりに読み進めてほしい。
4　本文を理解したかどうかの確認のため、「まとめ」として設問をつけた。読後に考える手がかりとしてほしい。
なお3、4とも解答は、別冊解答に記載した。
5　理解を深め、発展させるために、出典および著者紹介を各課の最後につけた。
6　本文の上にある◎はCDのディスク番号とトラック番号であり、この印が付いているところは、本文を朗読した音声を収録してある。
7　「18 源氏物語」は、さらにいろいろな作品を読んでみたい人向けに、オプションとして掲載している。語彙訳、設問などはないが、学校などでは日本語教師の助けを借りながら、読み進めてほしい。これ以外は独習者にも使えるようにした。
8　課の順番は必ずしも難易度によるものではないので、興味のあるテーマや読めそうな内容を選んで、読み進めてほしい。なお、本書本文の文字表記については、学習者の便宜を最優先し、次のように配慮した。
・難読と思われる語には振り仮名をつけた。なお、振り仮名は各課の初出に限った。
・特定の漢語や副詞などの語については仮名に改めた。
9　別冊語彙リストにある、英語・中国語・韓国語の訳語は、その語の基本的な意によった。
10　本書ではいくつかの唱歌を紹介している。「朧月夜《おぼろづきよ》」（37ページ）、「故郷《ふるさと》」（83ページ）、「冬景色《ふゆげしき》」（89ページ）は、昔から人々が愛唱し、今なお歌いつがれているものである。特に語彙の注釈はないが、楽譜とともに楽しんでもらいたい。

11 本書の中の「京都の通りのわらべうた」（113ページ）は、昔から京都の人々が東西の通りの名を覚えるのに口ずさんだものである。

12 エッセイ「きく」（119ページ）は、特に語彙の注釈はつけなかった。やや難解な文章であるが、挑戦してみてほしい。

目次

1　エッセイ

途《と》中《ちゅう》下《げ》車《しゃ》

宮《みや》本《もと》輝《てる》

社会人となった筆者が二十歳前後の頃を回想した作品

02

いまから十三年前、私は友人と二人して、ある私立大学を受験するため上京した。というより、上京するため確かに東京行きの列車に乗ったのである。世の受験生と同様、私たちもまた幾分《いくぶん》の不安と心細《こころぼそ》さを抱いて、窓外の景色を眺《なが》めていた。そんな気持ちを和《なご》めようとして、自然に口数《くちかず》だけは多くなっていった。ところが、京都から乗り込んできたひとりの女子高生が私たちの隣の席に座ったことで*様相《ようそう》は一変《いっぺん》した。滅多《めった》にお目にかかれないほどの美人だったからである。私も友人も何となく態度が落ちつかなくなり、口数も減っていった。友人が意を決してその女子高生に話しかけたのは静岡を過ぎてからであった。

　彼女は京都の大学を受験して、伊豆《いず》[1]の大仁《おおひと》[2]に帰る途中だった。友人はそっと私に耳打《みみう》ちした。

「[3]伊豆の踊《おど》り子やなァ」

問1　どのように「様相は一変した」のか。

注1　伊豆　静岡県《しずおかけん》の伊豆半島《はんとう》と伊豆諸島《しょとう》を占める地名《ちめい》。

注2　大仁　伊豆半島基部《もとぶ》にある町。

1 03

なぜ踊り子なのか判《わか》らなかったが、私は、うんうんとうなずき返した。彼女もだんだんうちとけてきて、三人が無事に受験に成功したら、再びどこかで逢《あ》ってお祝いをしようなどと言いだした。そして私たちの心をさんざん乱したまま、艶然《えんぜん》たる微笑《びしょう》を残して三島《みしま》で降りてしまった。

「俺《おれ》、もう東京の大学なんかやめにして、京都の大学を受けようかなァ……」

とまんざら冗談《じょうだん》でもなさそうに友人は呟《つぶや》いた。

「俺もさっきから考えてたんやけど、ことしは受験しても多分落ちると思うわ。一年浪人《ろうにん》して、じっくり実力をつけて、来年にそなえたほうが賢《かしこ》いでェ」

私もまた本気《ほんき》でそう言った。話はあっさり決まった。私たちは親からもらった東京での宿泊費《しゅくはくひ》を伊豆の旅にまわすことにして、そのまま[4]熱海《あたみ》で降りてしまったのだった。何とも親不孝《おやふこう》な息子《むすこ》であった。そしてこれが私の人生における*最初の途中下車であった。私たちはいい気分で伊豆の温泉につかりながら、大仁のどこかにいるであろう美しい女子高生を思った。住所も電話番号も教えてもらっていたが、私たちはその紙きれを見つめるだけで*何もしなかった。三日後、いかにも試験を受けてきたような顔をして家に帰った。

それから半年たった頃《ころ》、友人の父が死んだ。彼は家業《かぎょう》の運送店《うんそうてん》を継《つ》ぐために、進学を断念《だんねん》した。

注3 伊豆の踊り子　川端康成《かわばたやすなり》の小説。一九二六年発表。二十歳《はたち》の「私」と「踊り子」との叙情的《じょじょう》青春小説。

注4 熱海　伊豆半島北東岸にある市。全国有数の温泉観光地。

問2 ここでいう「途中下車」とはどういうことか。また、「最初の」とあるが、どのような意味が込められているか。

問3 「何もしなかった」二人の心情はどのようなものか。

私はといえば、受験勉強などそっちのけで、小説ばかり読みあさっていた。だが二人の心の中から、列車で知り合った女子高生の面影《おもかげ》は消えなかった。私たちは逢うとその話ばかりしていた。彼女が京都の大学に受かったのかどうか気になって仕方がなかった。ある日、ジャンケンで負けたほうが、彼女の実家に電話をかけようということになった。私が負けて、ダイヤルを回すと、ちょうど何かの用事で京都から帰って来ていた彼女が出てきた。無事試験に合格し、[5]丸太町《まるたまち》の親類の家に下宿《げしゅく》しているのだという。

「ところで、あなた、二人のうちのどっち？」

と彼女が訊《き》いたので、私はほんの冗談のつもりで、友人のほうの名を言った。しばらく考えてから彼女はこう囁《ささや》いた。

「逢うのなら、あなたと二人だけで逢いたいな」

私は黙《だま》りこくったまま、じっと電話をにぎりしめていた。そしてそのまま電話を*切った。もっとうまい方法があった筈《はず》なのに、十八歳の私は打ちひしがれて、ほかにどうしていいのか判らなかったのである。

「なあ、どうやった？　どない言うとった？」

友人は目を輝かせて何度も訊《き》いた。私は嘘《うそ》をついた。彼女は受験に失敗して勤めに出ている、もう電話などしないで欲しい、そう言ってガチャンと電話を切られた

注5　丸太町　京都の東西にわたる通りの名。

問4　「電話を切った」ときの「私」の心情はどのようなものか。

と説明した。

「ふうん、見事《みごと》にふられたなァ」

友人はペロリと舌を出して笑った。

このことは、いつまでも私の中から消えなかった。生まれて初めての失恋《しつれん》が、私の*心に傷《きず》を残したというのではない。私は自分のついてきた数多くの嘘の中で、この嘘だけを決して自分でも許すことができなかった。私がいまそれを文章にできるのは、にっくき恋敵《こいがたき》であるその友が、交通事故で死んでからもう十年もたったからである。

問5 「このこと」とは何のことか。またなぜ「いつまでも私の中から消えなかった」のか。

出典 『二十歳の火影』（講談社・一九八三年刊）

著者紹介 宮本　輝（みやもと　てる）

一九四七年、兵庫県生まれ。小説家。ドラマティックな作品が多く、映画・テレビ化されたものも多数ある。代表作に『優駿』など。映画化された『泥の河』、『螢川』、『道頓堀川』は川三部作と呼ばれている。

まとめ

1 筆者は、なぜ「途中下車」というタイトルをつけたのか。

2 「途中下車」は、人生にどのような意味をもたらすか。

2

評論

愛情としつけ

河《かわ》合《い》雅《まさ》雄《お》

サルを通して見た、親子間の葛藤と自律について論じた自然科学の評論

1 04

葛藤《かっとう》—母子《ぼし》関係の変化

ニホンザルの子育てを見ていると、母親が子どもの行動能力に応じて親子関係を変化させていくのに感心する。ニホンザルに限らず、すべての動物にとっては、成長してから独立して生活する能力を身《み》につけることが、最も大切である。幼《おさな》いときは、子どもは完全に母親に依存《いぞん》しなければならないから、母ザルは子どもの保護《ほご》に全力を傾ける。しかし、成長するにしたがって、母ザルから離れて自律的《じりつてき》な行動を身につけさせねばならない。愛着《あいちゃく》と自律という一見相反《いっけんあいはん》したものを適当にブレンドして育てるこつを、サルの母親はじつによく知っているかのように、＊子育てを上手《じょうず》に行《おこな》っている。

生後《せいご》七日目ごろから、ニホンザルのあかんぼうはしきりに母親から離れて自由な行動をとろうとする。まだ運動能力は未発達《みはったつ》で、とくに足の動きは不十分だから、

問1　サルの母親は「子育て」をどのように上手に行っているか。

手で体を引きずるような歩き方だが、それでもあかんぼうはどこへでも出かけて行こうとする。生後二十日もたつと、よちよち歩きだけれども、かなり遠くへ行くことができる。しかし母親は、生後一カ月まではぬけ出そうとするあかんぼうの足を引っぱったりつかまえたりして行動を拘束《こうそく》し、自分の周《まわ》り四—五メートル以上は決して離れさせない。

一カ月もすぎると、あかんぼうは大変活発《かっぱつ》になる。木登《きのぼ》りをしたり、なんでもかじってみたり、好奇心《こうきしん》のおもむくままに行動する。自発性《じはっせい》が高まるにつれて、母親との関係も*微妙《びみょう》に変化していく。移動するときは、あかんぼうはいつも腹に抱《だ》かれていたが、しだいに母ザルの腰《こし》に乗って運ばれるようにしつけられる。しかし、初めはそれができず、首や脇腹《わきばら》にしがみついたり、背中にかきついたりする。母ザルはそれを手で介添《かいぞ》えして、正しい位置に乗るようにしむけてやる。母ザルの腰の上に乗って運ばれるのだって、簡単にはいかず、何度も失敗しながら練習して覚えていくのである。

母ザルはときどき手で抱きかかえるのをやめ、あかんぼうを放《ほう》っておいたまま移動しかけることがある。あかんぼうにすれば、母親から突《つ》き放《はな》されるという初めての経験に出会うわけで、どうしてよいかわからず泣き叫ぶ。だが、こういうときは母ザルは振《ふ》り返《かえ》ったり立ち止まったりするが、決して手で抱きかかえはしない。「もう自分からお母さんの腰に乗りなさい」という自発的行為を要求するのである。

問2 「微妙に変化していく」とあるが、どのような変化か。

1 05

反抗期《はんこうき》

サルのあかんぼうにも、反抗期がある。生後三—四カ月ごろがそれであるが、＊反抗期とは母への依存性と自律性との葛藤である。たとえば、今までは移動に際しては母親の方から手を出して抱いてくれたのに、今度は自分から母親の腰にとびのらなければならない。腹に抱かれて運ばれるときは、温かい母の腹にぴったりくっついて、体《からだ》ごと抱かれる安心感があるが、腰に乗ると自分でバランスをとらねばならず、それができなければ落《お》っこちてしまう。

そのかわり、まるで競馬《けいば》のジョッキーのような快感《かいかん》もある。だから、よろこんで自発的にとびのることもあるが、ときには腹に抱かれる安堵感《あんどかん》が恋しくて、母親に甘《あま》えたくなることもある。そんなときは、母親がすたすた歩き出すと地面に這《は》いつくばり、いかにも体のどこかが悪いかのように、大声で泣き叫ぶ。だが、母親は子どもの甘えには決してのらず、ちょっと振り返っただけで移動しはじめる。それでも大声で泣きじゃくると、母ザルは戻ってきてあかんぼうを押さえつけたり軽く咬《か》んで、こらしめる。

こんな状況は、子育てをした人なら誰しも経験があることだろう。いつかも動物園で若い夫婦が子どもと歩いていた。子どもが転《ころ》び、いかにもどこかけがをしたか

問3　「反抗期」における特徴は何か。

のように泣き叫び、母親を見て助けを求めた。母親はちらっと見て、にっこり笑った。「さあ、自分で起きなさい」というわけだが、子どもの方ががんばるので、母親は根負《こんま》けして子どもを抱き起こし、泣きじゃくる子を一生懸命あやした。私たちの子どものころは、まるでサルの子同様に扱われていて、母親の邪険《じゃけん》さを恨《うら》んだものだがと*苦笑させられた。

1 06

子別《こわか》れ

動物の教育は、一口《ひとくち》でいえば、子どもがひとりで生きていく力をつける、ということにつきる。栄養を哺乳《ほにゅう》に頼《たよ》っているときは、母親は一生懸命面倒をみるが、独力《どくりょく》で採食《さいしょく》する能力を持つようになると、親は積極的に子どもを突き放す行動をとる。就巣性《しゅうそうせい》のアナウサギ[1]では、あかんぼうが巣《す》にくるまっている間は、親は巣穴《すあな》を土で蓋《ふた》して外敵《がいてき》から守り、授乳《じゅにゅう》のときだけ蓋をはずす。しかし、あかんぼうに運動能力がつくと、穴は蓋せずに開《あ》けっ放《ぱな》しにし、授乳も外でする。そして、子どもが自分で草を食べはじめると、しだいに授乳を止め、子どもが乳《ちち》を吸《す》いにくると体をそらして拒否《きょひ》する。こうしてしだいに、子どもは母親から離れて独立していく。

母親が子どもとの愛着を断《た》ち切《き》る行動は、通称《つうしょう》*子別れと呼ばれているが、劇的《げきてき》な

問4　筆者はなぜ「苦笑させられた」のか。

注1　アナウサギ（穴兎）　四肢が短く穴で生活する。南ヨーロッパ、北アフリカに分布。

問5　動物の「子別れ」には、どのような例があるか。

子別れはキタキツネ[2]で知られている。[3]竹田津実《たけたつみのる》さんの長期観察《かんさつ》により明らかにされたが、生後四カ月ごろ、母ギツネが突然子ギツネに咬《か》みつき、猛烈《もうれつ》な攻撃《こうげき》を加える。あまりのはげしさに子ギツネは逃げまどうだけ、あげくのはてたまりかねて、母ギツネと巣穴とから去らざるをえない。

　キツネは単独生活者だから、子どもを自分の側《そば》に置いておくわけにはいかない。子どもといえども、おとなになれば立派なライバルなのだから。しかし、ニホンザルのように群《む》れを作る動物では、大きくなっても母親と一緒に暮らすことになるから、子別れの様相《ようそう》は当然ちがってくる。それに、アナウサギもキツネも成長速度が早く、前者では四カ月、後者でも一年足らずで青年期に達するから、早く親から離れても十分ひとりで生活できるが、サル類の成長速度は遅く、急激に親子関係を断つというわけにはいかない。

注2　キタキツネ（北狐）　北海道に住む。体長約七十センチ。

注3　竹田津実　一九三七年大分県生まれ。獣医、写真家、エッセイスト。一九六六年からキタキツネの生態調査を始める。

07

母子の葛藤

ニホンザルのあかんぼうが母ザルにしっかり抱かれ、乳を飲んでいる様子を見ると、あまりの睦《むつ》まじさに心が和《なご》んでくる。だが実際は、生後一カ月ごろから親子の*葛藤が起こっている。あかんぼうは、母親に抱かれ、毛づくろいをされる安心感に溺《おぼ》れ、母親への依存性が高まる。それを断ち切って、適当に独立した行動をさせるために、母ザルはしばしばあかんぼうに咬みついたり威嚇《いかく》をする。ただし、咬みつくといっても決して歯をたてず、あかんぼうを傷つけるようなことはしない。母から子どもへの攻撃行動を、根《ね》ケ《が》山《やま》光一《こういち》[4]さんは飼育《しいく》した母子について詳しく調べたが(図7)、あかんぼうの成長にしたがって増加していることがよくわかる。

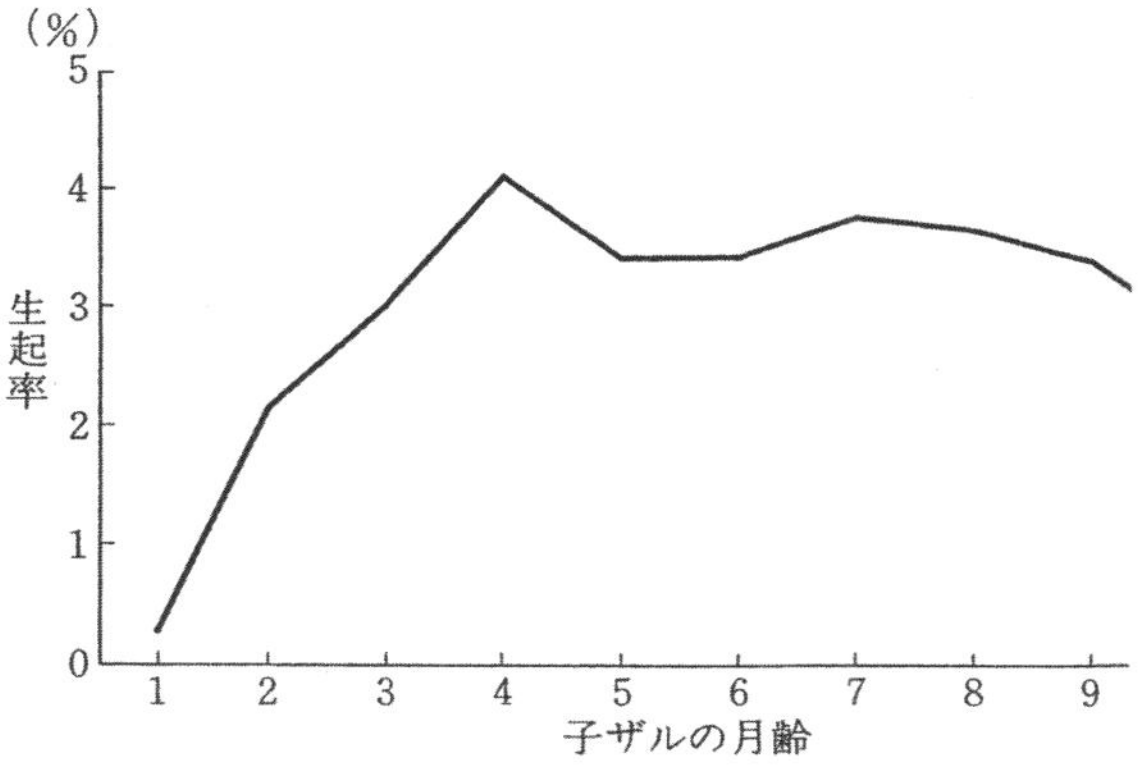

図7　母から子への攻撃行動
生後4カ月ごろがピークになる（根ケ山光一，1977）

生後四カ月ごろ、あかんぼうの反抗期には母親への依存性が非常に高くなる。あかんぼうはできるだけ母親と一緒にいて、おっぱいを吸っていたい。このときは、母ザルはきび

問6　「親子の葛藤」とあるが、どのような葛藤か。

注4　根ケ山光一　一九五一年香川県生まれ。専門は発達行動学。

しくあかんぼうを叱《しか》りつける。咬む行動も一番多く、ときには頬《ほ》っぺたを平手《ひらて》で叩《たた》いたり、邪険に突きとばしたり、まれには手でつかんで放り投げるといった荒々《あらあら》しいこともする。子別れのためのはげしい行動は、このころがピークに達する。あかんぼうは仕方なく、母ザルから離れて行動するようになる。つまり、他《ほか》のあかんぼうと遊ぶ時間が多くなるのである。その状況は図8を見ればよくわかるであろう。ちょうどこのころが、子ザルにとっては親子関係に対する*一つのけじめの時であるといえそうである。

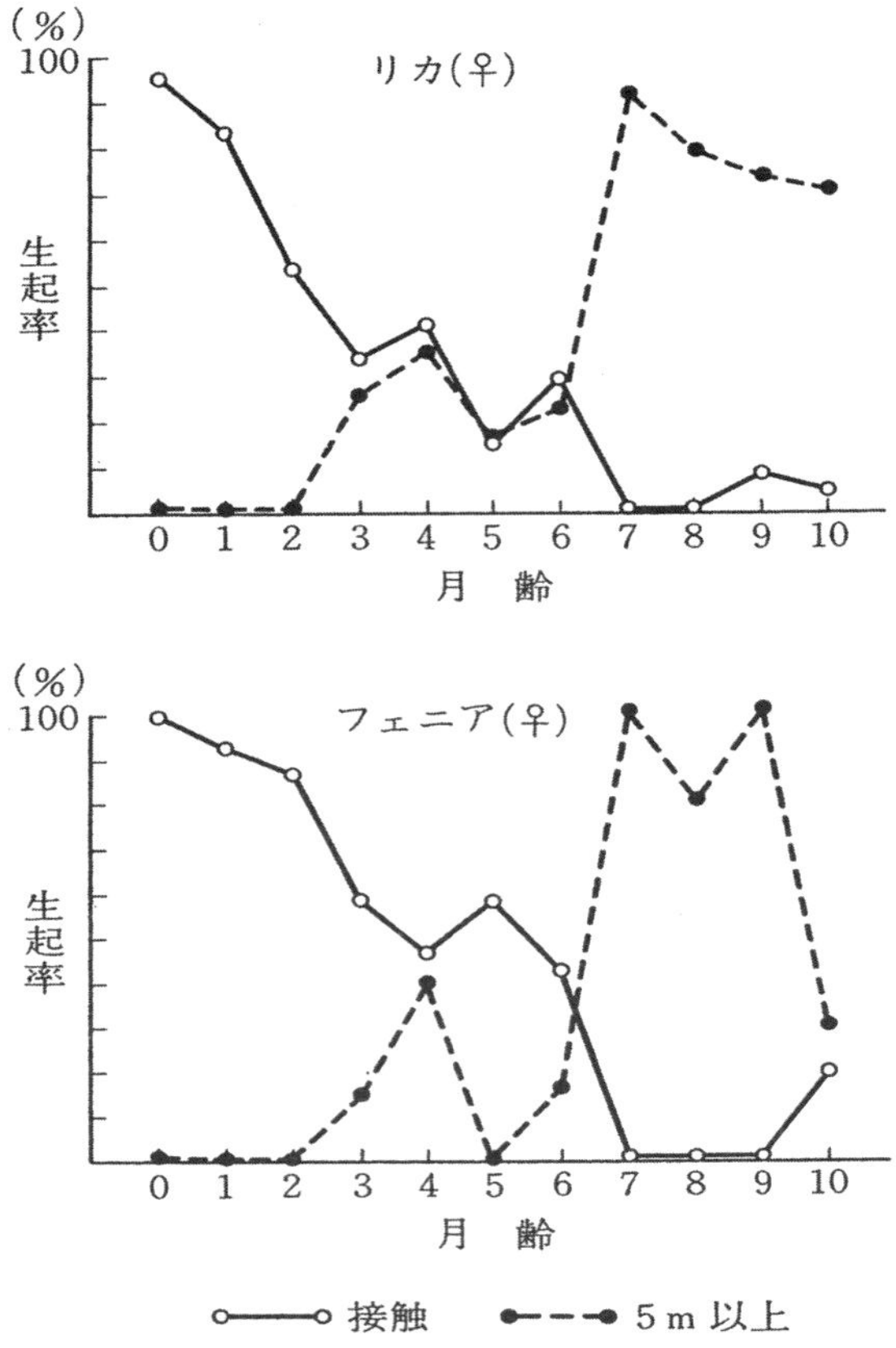

図8 母子間の距離の変化
○──○は母親と赤ん坊が接触している頻度。
●----●は母親と赤ん坊が5メートル以上離れている頻度をそれぞれパーセントで示す。
（黒川多嘉子，1974）

問7 「一つのけじめの時」とあるが、何のけじめの時か。

図7では、母ザルから子ザルへの攻撃が生後四カ月でピークになるが、九カ月ごろまでは攻撃の頻度《ひんど》はあまり変らない。しかし、*攻撃の内容はずいぶん変化している。生後四カ月までは、母ザルがあかんぼうを咬む行動が多いが（図9）、その時期をすぎると、攻撃といってもたんに威嚇するだけに終ることが多くなる。咬むという行動は相手の体にふれる直接的な攻撃だが、威嚇は間接的な軽いたしなめである。つまり、四カ月をすぎると、ちょっとたしなめるだけで十分効果があるようになるわけだ。

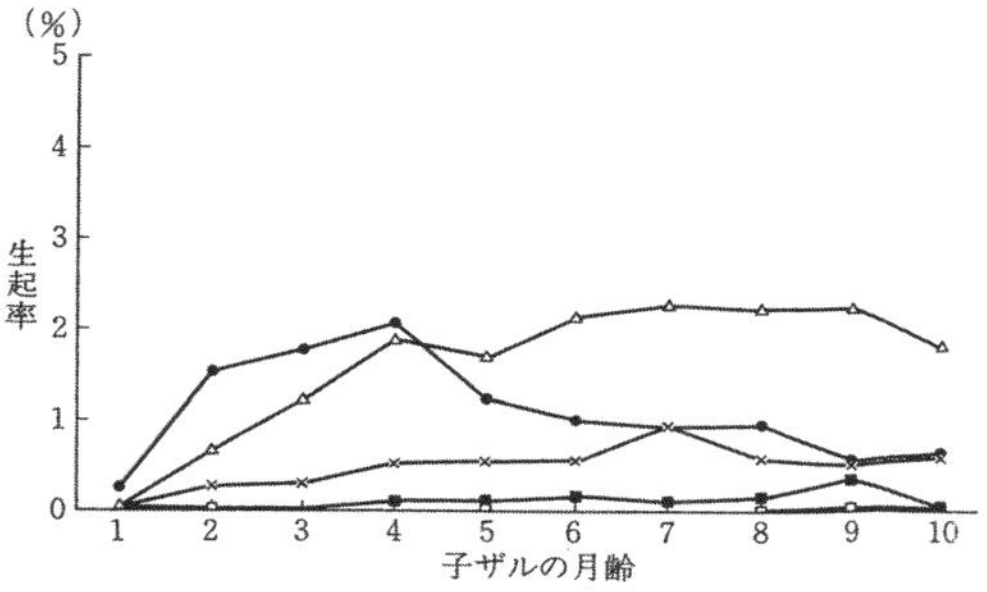

図9　母から子への攻撃行動のうちわけ
●——●は咬みつき。×——×はアタック。□——□は追いかけ。■——■は攻撃的な手伸ばし。△——△は威嚇。咬みつきは4カ月目が最大だが、5カ月には威嚇の方が多くなる。（根ケ山光一，1977）

母子の葛藤を母からの攻撃行動で示したが、もちろん子どもは叱られているばかりではなく、親《しん》和《わ》的関係《てきかんけい》の方がずっと強い。しっかり抱かれて乳を飲んだり、毛づくろいをしてもらったり、また、自分の方からもする。毛づくろいは相互の親しさを表わす行動であるが、親子間で最も行われる。

チンパンジーになると、話はもっと*人間臭《くさ》くなる。チンパンジーは離乳期《りにゅうき》が例外的に遅く、五歳前後である。J・グドール[5]によると、七歳二カ月で離乳するという遅いケースもある。

問8　「攻撃の内容」は、どのように変化しているか。

問9　「人間臭くなる」とは、どういうことか。

注5　J・グドール（Jane Goodall）一九三四年英国生まれ。動物行動者。生物科学（行動生態学）専門。

離乳はときどき母親が授乳を拒否するといった形で徐々に進行する。面白いことは、乳を吸おうとするあかんぼうを、毛づくろいしたりあそんでやったりして、気をそらすことである。こういう行動はニホンザル段階では見られない高級なやり方である。

離乳の進行に伴って欲求不満《よっきゅうふまん》になったあかんぼうを、あそんでやったり抱きしめたりしてなだめるが、母親がとりあわないと、あかんぼうが抑《よく》うつ状態《じょうたい》におちいることをグドールは述べている。そして、一歳以下の子どもがする幼児型《ようじがた》に退行《たいこう》するという。

こうして、子どもは母親への強い依存性と愛着、それに自律性を高める行動、と一見相反する行動がうまく調和された中で育てられていくのである。霊長類《れいちょうるい》の特徴は、成長期間が長いことである。だから、刷《す》りこみやスコット[6]のいうクリティカル[7]ポイント(臨界期《りんかいき》)、あるいはキツネなどに見られるドラスティック[8]な子別れといった現象はなく、徐々に母と子の関係は変化していく。しかし、その間にいくつかの変化の山があり、それをうまく越えていかねばならない。たとえば生後四カ月目あたりがその山の一つである。その時期[*]をうまく乗り越えるかどうかが、その後の身心の健全な成長に影響を与えるだろう。

注6　スコット（Peter M. Scott, 1909～1989）動物学者。
注7　クリティカルポイント（臨界期）特定の刺激に対する感受性が高まる時期。
注8　ドラスティック（drastic）社会の変化や政策などが徹底的で過激なさま。

問10　「その時期」とは、どのような時期か。

出典　『子どもと自然』（岩波新書・一九九〇年刊）

著者紹介　河合　雅雄（かわい　まさお）

一九二四年、兵庫県生まれ。生態学・人類学者。五課の『平成おとぎ話』の筆者、河合隼雄の兄。サル研究五十年。モンキー博士として知られるサル学の世界的権威。著書に『森林がサルを生んだ』（平凡社）など。

まとめ

1 霊長類の子育ての特徴は何か。

2 身心の健全な成長に必要なものは何か。

3 評論

贈《おく》るかたちと意味

精神病理学の立場から、ボランティアの意味を問い直した評論

野田正彰《のだまさあき》

1 08

贈りものには、社会的に慣習化《かんしゅうか》されたものと、ふと思いついて行う自由意思《じゆういし》によるものがある。私たちはこの二つを、いつも混同《こんどう》して使っている。後者《こうしゃ》、ふと思いついて随時《ずいじ》に行う贈りものは、ほんの近年、都市での市民生活が成熟《せいじゅく》してからのことであろう。

元来《がんらい》、贈りものは義務として行われてきた。贈りものを受けると、必ずいつの日か、同じような機会に同等のものを贈らねばならない。冠婚葬祭《かんこんそうさい》の贈りものに、この社会的ルールがはっきりと残っている。たとえば他家《たけ》に不幸《ふこう》があると、香典《こうでん》を包んでいく。香典の紙包《かみづつ》みの裏には、わかりやすく金額《きんがく》が明記《めいき》される。どこの家がいくら包んできたかノートに記録される。葬儀《そうぎ》の後、一応「香典返し《こうでんがえし》」なるもの——お茶や塗《ぬ》りもの、食品など——が届けられる。ところが、この香典返しは単なる印《しるし》であって、本当の香典返しは、後日《ごじつ》に香典を置いていった家に不幸があったとき

問1 「この二つ」とは、どのようなものか。例としてどのようなものが考えられるか。

に、同額の香典を包むことによって完了《かんりょう》する。A家《け》とB家との香典のやりとりは、世代《せだい》がかわったとしても完結《かんけつ》しなければならない。社会人類学《しゃかいじんるいがく》では、このような慣習化された贈答交換《ぞうとうこうかん》に働いている原理を、「互酬性《ごしゅうせい》」と呼んできた。贈りものに対して、一定の期間のうちに、同等のものを返礼《へんれい》する場合は、正確にいえば均衡的《きんこうてき》互酬性と呼ばれる。

私たちの社会関係は、無数の互酬性で成《な》りたっている。有形《ゆうけい》の物の贈答だけでなく、*無形《むけい》の親切も考慮《こうりょ》すれば、贈りものの交換なしに社会生活は存続できない。なぜ、そんなにややこしいことをするのか。贈りものの交換は楽しいときもあれば、わずらわしいときもある。「なぜ?」と思われた方も多いであろう。しかし、私たち人類(ホモ・サピエンス)を含む霊長類《れいちょうるい》は、とりわけ互酬性が好きである。サルの個《こ》体《たい》と個体が出会《であ》うと緊張《きんちょう》が生じる。そこで両者は近よって、どちらかが寝ころがり、他方が毛《け》づくろい(グルーミング)を始める。ゆっくりとグルーミングが行われた後、役割が交換されて、今までされていたほうがする側にまわる。ここでは相互《そうご》に、「あなたを攻撃《こうげき》する意思はありませんよ」というメッセージを送りあっている。

サルから類人猿《るいじんえん》、そして私たち人類に至るまで、まず誰かと誰かが出会うと緊張が起こる。出会いにおいて、緊張ゼロということはありえない。そこで人間は他人に出会うと同時に、不和《ふわ》に陥《おちい》る危険を避《さ》け、なんらかの贈りものを交換することに

問2 「私たちの社会関係は、無数の互酬性で成りたっている」とはどういう意味か。

よって友好関係《ゆうこうかんけい》を結《むす》ぼうとする。つまり、これまでは、人間とは他者と交際していなければ、喧嘩《けんか》(あるいは戦争)をしていた。友好関係が結ばれなければ、いつ喧嘩になるかわからない。友好関係が途絶《とだ》えれば、いつ戦争になってもおかしくなかった。人は仲良《なかよ》くしているか、喧嘩をしているか、いずれかであった。それほどまでに人間とは、やかましい動物である。

こうして*、私たちの日常には友好関係を伝える互酬性のネットワークがはりめぐらされている。お中元《ちゅうげん》[1]、お歳暮《せいぼ》[2]、バレンタイン・デイ[3]やホワイト・デイ[4]のチョコレート、年賀状《ねんがじょう》[5]、暑中見舞《しょちゅうみまい》[6]、結婚の披露宴《ひろうえん》や葬儀への参加、誕生日のパーティへの招待……。たとえば、年賀状の交換はなぜ行われるのだろう。そしてなぜ、「お年玉《としだま》葉書《はがき》[7]」といった、ささやかな物の贈りものがさらに付加《ふか》されているのだろうか。実際、年賀状では自分たちの近況《きんきょう》を報告したり、相手の近況を尋《たず》ねるような情報の交換が行われているわけではない。ひとえに、「あなたへの攻撃心《こうげきしん》は、今のところありませんよ」と伝えているのである。

十年ほど前、私は年賀状を出すのをやめた。出さなければならない年賀状が三〇〇枚をこえたとき、こんなことのために冬の静かな一日、二日をなくすのは嫌だと思ったからだ。それで、そのままやめてしまった。誰かからいただいた年賀状のように、「今年をもって年賀状を出すのは失礼させていただきます」と予告してお

問3 「やかましい動物」とは、どういう意味か。

注1 お中元 七月初旬から十四、五日までにする、顧客や世話になった人への贈り物。

注2 お歳暮 年末にする、顧客や世話になった人への贈り物。

注3 バレンタイン・デイ(St.Valentine's Day) 二月十四日に日本では女性が男性にチョコレートを贈る習慣がある。

注4 ホワイト・デイ 三月十四日にバレンタイン・デイにチョコレートを贈られた男性が、贈った女性に「お返し」の贈り物をする日。

1 09

けばよかったが、思いたった年の暮《くれ》に、そのまま中止してしまった。

すると、どうだろう。年があけて一週間もすると電話があった。「年賀状がありませんが、変わったことでもありましたか」と。次の年にはこんな電話もあった。旧友《きゅうゆう》から「二年にもわたって、私が年賀状を出しているのに、送ってこないのは、何か不都合《ふつごう》なことでもあるのか」と。彼は年賀状をやめるとは、交際《こうさい》を断《た》つということかと怒ってきたのだった。私は、弁明《べんめい》をしながら、年賀状の誤解《ごかい》をとく新年の電話の新しい機能《きのう》に感心したものである。

だが、このような贈答のなかにある互酬性の原理から抜《ぬ》け出《だ》し、これまでの慣習にはなかった自由意思《ボランタリー》による贈りものをしたいと思うときもある。いかなる贈りものにも、受けとった人の喜びとか感謝をまったく期待しない贈りものはないだろう。しかし、思いたって随時に行われる贈りものには、返礼よりも、贈る側の創意《そうい》の喜びが強い。形は物になったとしても、心をこめて何かを伝えたい。さて、＊自由意思で行われる贈りものによって伝えたいものは、何か。＊何かを伝えるために、どのような創意がありうるのか。

私は、災害救援《さいがいきゅうえん》のあり方について調査している。九三年七月十二日夜の北海道《ほっかいどう》・奥尻島《おくしりとう》の地震《じしん》と津波《つなみ》の後も、ヘリコプターで現地《げんち》に入った。私はそこで、救援者が救援者役割に酔《よ》い、被災者や遺族《いぞく》をますます被災者役割——弱者の位置に追いやっ

注5 年賀状　新年のお祝いとして送るあいさつ状。主に葉書。

注6 暑中見舞　夏の盛りに知人の安否を問うこと。またその手紙。

注7 お年玉葉書　くじつきの年賀葉書。

問4 「自由意思で行われる贈りものによって伝えたいもの」とは何か。

問5 「何かを伝えるために」どのような創意があるか。

ている構図を見たのだった。被災者は中学校体育館に集められ、ディーゼル発電による照明で煌々《こうこう》と照らされて横になり、あるいはうずくまっている。全国から送られた缶《かん》ジュースやレトルト食品のダンボール箱は、高く積みあげられている。食物も、毛布《もうふ》も十二分《じゅうにぶん》に届けられているが、家族を失った悲哀《ひあい》と津波による喪失感《そうしつかん》に打《う》ちのめされ、今なお続く余震《よしん》におびえる人々への精神的配慮《はいりょ》は皆無《かいむ》である。赤十字社《せきじゅうじしゃ》[8]の医療救援《いりょうきゅうえん》も外科系《げかけい》を軸《じく》に編成《へんせい》されており、もっとも訴《うった》えの多い不安、不眠《ふみん》への精神《せいしん》医学的対応《いがくてきたいおう》はできていない。自治体《じちたい》も中央官庁《ちゅうおうかんちょう》も、救援にかかわるさまざまな団体も、災害を報道するマスコミも、そして募金《ぼきん》や救援物資《ぶっし》を送る多くの市民も、富裕《ふゆう》な情報化社会での災害救援の文化とはどうあるべきか、考え直そうとしていない。

物が余《あま》り経済中心になった社会において、なお物資的救援が先行《せんこう》していけば、被災者は自分たちがもらう側に立たされたことを思い知らされていくだけだ。心が中心になった援助《えんじょ》とは、*どんなものが考えられるだろう。

たとえば、失われた家族の写真集を再現《さいげん》する贈りものはどうだろうか。親族や友人が協力すれば、その家族の写っている写真はかなり集まるものだ。マスコミが呼びかけ、フィルム会社が協力して、親族の誰かが中心となり、その家族のアルバムを届けるのは、どうだろうか。アルバムの再現の過程《かてい》に、被災者との心の会話がある。そして、アルバムを受けとった被災家族は、小さな過去の写真の何枚かを通して、

注8　赤十字社（The Red Cross）一八六三年設立。本部ジュネーブ。戦時に敵味方の区別なしに傷病者を救護する目的で設立された、国際的協力組織。

問6　どのようなものが考えられるか。

傷《きず》ついた家族のアイデンティティを守っていくだろう。

このように、心をこめた自由意思による贈りものとは、相手に対する尊敬にほかならない。相手の人が不幸に傷つき、自己評価《じこひょうか》を落とし、社会を信じられなくなっているとき、私たちにできる最大の贈りものは、相手のなかに生きる意味、生きてあることへの尊敬を伝えることである。それはＯＤＡ[9]による貧困地域《ひんこんちいき》への援助においても同じである。物質中心の援助は、いつの日にか返礼されるという古い互酬性の文化に縛《しば》られている。贈りものをする喜びとは、受けとる人自身が気づいていないその人のすばらしさを発見し、それを美しく伝える創意にある。

注9　ＯＤＡ　(Official Development Assistance) 政府開発援助。

出典　『ポストバブルの日本人』（春秋社・一九九五年刊、日本経済新聞一九九三年十一月十六日号で発表）

著者紹介　野田　正彰（のだ　まさあき）

一九四四年、高知県生まれ。精神病理学者、評論家。専攻は、比較文化精神医学、文化人類学。著書に『喪の途上にて――大事故遺族の悲哀の研究』（岩波書店）など。

まとめ

1 筆者の考える「自由意思による贈りもの」に対してどう思うか。

2 現代社会で「互酬性」は、どのように変化してきたか。

4

小説

鞄《かばん》

安《あ》部《べ》公《こう》房《ぼう》

現代と現代人の抱える問題を、超現実的手法で描いた作品

1 10

雨の中を濡《ぬ》れてきて、そのままずっと乾《かわ》くまで歩きつづけた、といった感じのくたびれた服装で、しかし目もとが明るく、けっこう正直《しょうじき》そうな印象を与える青年が、私の事務所に現れた。新聞の求人広告《きゅうじんこうこく》を見たというのである。

なるほど、求人広告を出したのは事実である。しかし、その広告というのが、なにぶん半年以上も前のことなのだ。いまごろになって、ぬけぬけと応募《おうぼ》してくるというのは、いくらなんでも非常識《ひじょうしき》すぎる。まるで採用《さいよう》されないために、今日まで応募を引《ひ》き延《の》ばしたと言わんばかりではないか。

あきれてものも言えないでいる私を尻目《しりめ》に、

「やはり、駄目《だめ》でしたか。」

と、むしろほっと肩《かた》の荷《に》をおろした感じで、来たときと同じ唐突《とうとつ》さで引き返しかけるのだ。*はぐらかされた私は、ついあわてて引き止めにかかっていた。

問1 「はぐらかされた」のは、「私」のどのような気持ちか。

「まあ、待ちなさい。私だってこだわるのが当然だろう。なぜ半年も前の求人広告に、いまさら応募する気になったのかな。そこのところを、納得《なっとく》できるように説明してもらいたいね。納得できさえすれば、それでけっこう。ちょうど欠員《けついん》ができて、新規《しんき》に補充《ほじゅう》も考えていた矢先《やさき》だし、考慮《こうりょ》の余地《よち》はあるんだよ。いったい、どういうことだったのかな。」

「さんざん迷《まよ》ったあげく、一種《いっしゅ》の消去法《しょうきょほう》と言いますか、結局ここしかないことがわかったわけです。」

言い方によっては、かなり思わせぶりになりかねない口上《こうじょう》を、青年はさりげなく言ってのけ、私も妙《みょう》に素直《すなお》な気持になっていた。

*

「具体的に言ってごらんよ。」

「この鞄のせいでしょうね。」と、相手は足もとに置いた、職探しに持ち歩くにはいささか不似合《ふにあ》いな――赤ん坊の死体なら、無理をすれば三つくらいは押《お》し込《こ》めそうな――大きすぎる鞄に視線《しせん》を落とし、「僕《ぼく》の体力とバランスがとれすぎているんです。ただ歩いている分《ぶん》には、楽《らく》に運べるのですが、ちょっとでも急な坂《さか》だとか階段のある道にさしかかると、もう駄目なんです。おかげで、選ぶことのできる道が、おのずから制約《せいやく》されてしまうわけですね。鞄の重さが、ぼくの行き先《さき》を決めてしまうのです。」

問2 「私」を「妙に素直な気持」にさせた青年の態度とは、どのようなものか。

私はいささか気勢《きせい》をそがれ、

＊「すると、鞄を持たずにいれば、必ずしもうちの社でなくてもよかったわけか。」

「鞄を手放《てばな》すなんて、そんな、あり得ない仮説《かせつ》を立ててみても始まらないでしょう。」

「手から離したからって、べつに爆発《ばくはつ》するわけじゃないんだろう。」

「もちろんです。ほら、いまだってちゃんと手から離して床《ゆか》に置いている。」

「わからないね。なぜそんな無理してまで、鞄を持ち歩く必要があるのか……。」

「無理なんかしていません。あくまでも自発的《じはつてき》にやっていることです。やめようと思えば、いつだってやめられるからこそ、やめないのです。強制《きょうせい》されてこんなばかなことができるものですか。」

「うちで採用してあげられなかったら、どうするつもり。」

「振《ふ》り出《だ》しに戻《もど》ってから、＊またあらためてお願いに上がることになるでしょうね。地形《ちけい》に変化でも起きないかぎり……。」

「しかし、君の体力に変化が起きるとか、鞄の重さに変化が起きて、ぜんぜん歩けなくなるとか、宅地造成《たくちぞうせい》で新しい道を選べるようになるとかすれば……。」

「そんなに僕を雇《やと》いたくないんですか。」

「可能性を論《ろん》じているだけさ。君だって、もっと自由な立場で職選《しょくえら》びができれば、それに越《こ》したことはないだろう。」

問3　「私」はなぜ「気勢をそがれ」たのか。

問4　「またあらためてお願いに上がることになる」というのは、「鞄」との関連でどういう意味を持つか。

「この鞄のことは、だれよりも僕が一番よく知っています。」

「なんなら、しばらく、預《あずか》ってみてあげようか。」

「まさか、そんなあつかましいこと……。」

「中身《なかみ》は何なの。」

「大《たい》したものじゃありません。」

「口外《こうがい》をはばかられるような物かな。」

「つまらない物ばかりです。」

「金額にしたら、いくらぐらいになるの。」

「べつに貴重品《きちょうひん》だから、肌身離《はだみはな》さずってわけじゃありません。」

「しかし、知らない人間が見たら、どう思うかな。君はそう、腕《うで》っ節《ぶし》の強いほうでもなさそうだし、ひったくりや強盗《ごうとう》に目をつけられたら、お手上《てあ》げだろう。」

青年は小さく笑った。*私の額《ひたい》に開《あ》いた穴《あな》を通して、どこか遠くの風景でも見ているような、年寄《としよ》りじみた笑いだった。笑っただけで、べつに返事はしなかった。

「ま、いいだろう。」私も負《ま》けずに、声をたてて笑い、額に手をあてがって相手の視線を押《お》し戻《もど》し、「べつに言い負かされたわけじゃないが、君の立場もなんとなくわかるような気がするな。*一応、働いてもらうことにしよう。それにしても、その鞄は大きすぎる。君を雇っても、鞄を雇うわけじゃないんだから、事務所への持ち込み

問5 「私の額に……、べつに返事はしなかった」青年はどのような思いでいるのか。

問6 「一応、働いてもらうことにしよう」と言った「私」の気持はどのようなものか。

だけは遠慮《えんりょ》してもらいたい。その条件でよかったら、今日からでも仕事を始めてもらいたいんだが、どうだろう。」

「けっこうです。」

「勤務中、鞄はどこに置いておくつもり。」

「下宿《げしゅく》が決まったら、下宿に置いておきます。」

「大丈夫かい。」

「どういう意味ですか。」

「下宿から、ここまで、鞄なしでたどり着《つ》けるかな。身軽《みがる》になりすぎて、途中で脱《だっ》線《せん》したりするんじゃないのかい。」

「下宿と勤め先の間なんて、道のうちには入りませんよ。」

12

青年はやっと、表情にふさわしいさわやかな笑い声をたて、私もほっと肩の荷をおろした思いだった。知り合いの周旋《しゅうせん》屋[1]に電話で紹介してやると、彼はさっそく下《した》見《み》に出向《でむ》いて行った。ごく自然に、当然のなりゆきとして、後に例《れい》の鞄が残された。

なんということもなしに、鞄を持ち上げてみた。ずっしり腕《うで》にこたえた。こたえたが、持てないほどではなかった。ためしに、二、三歩、歩いてみた。もっと歩けそうだった。

しばらく歩きつづけると、さすがに肩にこたえ始めた。それでもまだ、我慢《がまん》でき

注1　周旋屋　不動産などの仲介をする者。

ないほどではなかった。ところが、急に腰骨《こしぼね》の間に背骨《せぼね》がめり込《こ》む音がして、そうなるともう一歩も進めない。気がつくと、いつの間《ま》にやら私は事務所を出て、急な上《のぼ》り坂《ざか》にさしかかっているのだった。方向転換《ほうこうてんかん》すると、また歩け始めた。そのまま事務所に引き返すつもりだったが、どうもうまくいかない。いくら道順《みちじゅん》を思い浮かべてみても、ふだんはまるで意識しなかった、坂や石段にさえぎられ、ずたずたに寸断《すんだん》されて使いものにならないのだ。やむを得ず、とにかく歩ける方向に歩いてみるしかなかった。そのうち、どこを歩いているのか、よくわからなくなってしまった。

べつに不安は感じなかった。ちゃんと鞄が私を導《みちび》いてくれている。私は、ためらうことなく、どこまでもただ歩きつづけていればよかった。*選ぶ道がなければ、迷《まよ》うこともない。私は嫌になるほど*自由だった。

出典　『笑う月』（新潮文庫・一九八四年刊）

著者紹介　安部　公房（あべ　こうぼう）

一九二四〜九三年。東京都生まれ。小説家。劇作家。代表作に『砂の女』『棒になった男』（ともに新潮文庫）など。シュールな作風で特に海外での人気が高い。

問7　「私」と「青年」にとって「道」はどう違うか。

問8　ここで言う「自由」とは、どういう意味か。

まとめ

1　ここでの「鞄」は、青年にとって何を象徴しているか。

2　作者の考える「自由」とは、どのようなものと思われるか。

5

エッセイ

平成《へいせい》おとぎ話《ばなし》

河《かわ》合《い》隼《はや》雄《お》

心理学の観点から、社会現象を見つめた軽妙な評論

1-13

(一) 日本人は「諍《そう》」と「友《ゆう》」の両立が難しい

最近、[1]日文研《にちぶんけん》顧問《こもん》(前所長)の[2]梅原猛《うめはらたけし》さんたちと一緒に中国に行《い》ってきた。これは梅原さんたちが強い関心をもっておられる[3]長江《ちょうこう》文明の調査研究を中国と共同で推進《すいしん》していく企画に、日文研も深くかかわることになり、その話し合いのために行ったのである。これまで、[4]中日両国の間に少し行き違《ちが》いがあったりして、必ずしも簡単な話し合いというわけではなかったので、正直なところ少し*緊張して出かけていった。

ところで、正式な話し合いをする前日に、中国の文化部の前副部長の劉徳有《りゅうとくゆう》さんがわれわれを招待して下さった。劉徳有さんは日本にも長くおられた知日家《ちにちか》で、日本語は極めて上手。私も北京《ペキン》大学と国際シンポジウムをしたときに、一度お会いした方である。文化部の方も数人来られたが、文化部対外《たいがい》文化連絡局の方で、陳諍《ちんそう》さんという人が居《お》られた。

注1 日文研 国際日本文化研究センターの略。

注2 梅原 猛 一九二五年宮城県生まれ。哲学者。

注3 長江 揚子江《ようすこう》の中国における呼称。

注4 中日 中国と日本。

問1 なぜ「緊張」しているのか。

劉さんは陳さんを紹介するときに、「諍」という字は、日本人は「論争」などを連想するかもしれないが、これはそのような意味ではなく、お互いにまったく自由に腹を割って話し合うということなのですよ、と言われる。そして、それに続いて、「中国には、諍友《そうゆう》という言葉があるのです」とにっこりとされ、続けて「諍友というのは、お互いに自由に思っていることを話し合い、なおかつ友情をもつという関係です」と言われた。

劉さんの温和《おんわ》な話しぶりのなかに、われわれが今後、中国の方々と話し合っていくときに「諍友」としての関係を打ち立てていく心構《こころがま》えをもっていくべきことを教えて下さっているようで、非常にありがたく思った。何しろ日本側は、ある程度緊張しているので、下手《へた》をすると言うべきことも言えずに、相手の言《い》い分《ぶん》をきいてしまうようなことがないように、という温かい配慮《はいりょ》をそこに感じたのであった。

名前の紹介に関連づけて、さりげなく話をし、われわれの緊張をほぐされるのは、さすがである。「大人《たいじん》」という言葉が当てはまる態度である。劉さんのこのような配慮のおかげもあって、翌日、国家文物局《ぶんぶつ》(日本で言えば文化庁《ちょう》のようなところ)の方との話し合いは、非常に円滑《えんかつ》に行われ、われわれはほんとうにうれしく思った。それにしても、中国の方々の大人ぶりには感心してしまった。まさに諍友の言葉どおり、言うべきことはしっかりと言いながら、温かい人間関係がちゃんと維持《いじ》されている。

この点で、日本人はもう少し「諍友」ぶりを見習うべきではなかろうか。われわれは人間関係の維持の方に心を使うと、つい言いたいことも言わずにいたりする。そして、ついに言いたいことを言うと相手の気持ちも考えずに言ってしまって、人間関係が壊《こわ》れ、時には、まったくの「敵」になってしまう。「諍」と「友」が両立し難い。

ともかく劉さんの「諍友」談義《だんぎ》は、日本人一同《いちどう》の心を打って、ありがたくお聴きしていると、最後に劉さんは破顔一笑《はがんいっしょう》して、「では皆さん、そういうことで」と言われ、一同思わず顔をほころばせた。

私は洒落《しゃれ》*好きの本領《ほんりょう》を奪われてしまって、一瞬あれっと思ったが、「諍友を成立せしめるものにユーモアがある」と思った。焦《あせ》ると矛盾《むじゅん》していると思ったり、正面《しょうめん》からの対立と思ったりすることが、ユーモアによって、余裕のなかに両立の道を見い出せる。余裕があるからユーモアが生まれるとも、ユーモアが余裕を生み出すとも考えられる。まさに「そういう」つもりでやれば、いろいろな対立がとけていくのではなかろうか。

これから、日本と中国との間には、いろいろと難しいことが起こってくるかもしれない。そんなときにすぐにいきり立つことなく、「では、そういうことで」とゆっくり話し合っていくことが大切と思われる。

問2 何に「顔をほころばせた」のか。

まとめ

1 筆者は、今後の日中間はどうあるべきだと考えているか。

日本の歌

朧《おぼろ》月《づき》夜《よ》

文部省唱歌

一
菜《な》の花畠《はなばたけ》に　入日《いりひ》薄《うす》れ
見渡《みわた》す山《やま》の端《は》　霞《かすみ》ふかし。
春風《はるかぜ》そよふく　空《そら》を見《み》れば、
夕月《ゆうづき》かかりて　におい淡《あわ》し。

二
里《さと》わの火影《ほかげ》も、森《もり》の色《いろ》も、
田中《たなか》の小路《こみち》を　たどる人《ひと》も、
蛙《かわず》のなくねも、かねの音《おと》も、
さながら霞《かす》める　朧月夜《おぼろづきよ》。

——『尋常小学唱歌』（六）』大3・6

朧月夜

14

(二) アイヌの昔話「父親殺《ちちおやごろ》し」の物語

この頃《ごろ》新聞を見ると、中学生が父親を殺害《さつがい》したとか、父親が高校生の息子を殺したなどという記事が目につく。かつてだと、このような[1]尊属殺《そんぞくごろ》しの事件は、相当大きい見出《みだ》しがついていたが、最近はそれほどでもなくなったのは、事件が以前ほど珍しくないからだろう。ほんとうは実に大変なことなのに。

あるいは、*「オヤジ狩《が》り」などという言葉もあって、少年たちが集団で自分たちの父親くらいの年輩《ねんぱい》の男性に襲《おそ》いかかる、ということもある。別に何の理由もあるわけでもないのに、「オヤジ」と見なされる人に理不尽《りふじん》な攻撃《こうげき》を加える。実に嘆《なげ》かわしいことである。

*父・息子《むすこ》の葛藤《かっとう》は欧米では日本よりもっと強い。統計的にしらべたことはないが、アメリカでの父と息子間の殺人事件は、おそらく日本をはるかに上まわることだろう。

ところで、父・息子の関係ということになると、フロイトの提唱《ていしょう》した[2]エディプスコンプレックスのことを想起《そうき》する人も多いであろう。ギリシャ悲劇[3]「エディプス王」の話では、エディプスは自分がそれとまったく知らないうちに、父親を殺し、母親と結婚する。これは大変な悲劇である。フロイトはこの話を用《もち》いて、男の子は生まれたときより母親に性愛を感じ、そのために邪魔者《じゃまもの》である父親を亡《な》きものにしたい

注1　尊属　父母、祖父母など自分より前の世代に属する血族。

問1　「オヤジ狩り」が生まれる背景は、どのようなものが考えられるか。

問2　「父・息子の葛藤は欧米では日本よりもっと強い」とあるが、それについてどう思うか。

注2　エディプスコンプレックス (Oedipus complex)　男の子が無意識のうちに父を恨み、母を性的に思慕する傾向。ギリシャ神話のエディプス王にちなんでフロイトが名付けた。

という願望を無意識的にもっている、と考えた。しかし、それは実行するのは恐ろしく大変な不安を伴う。男の子はそれは実現不能《ふのう》と知り、現実との折り合いをつけ、父親とも親しい関係になる。しかし、無意識内にはエディプスコンプレックスが存在し続け、成人になってからもその人間の行動に影響を与える。

以上が*フロイトの考えであるが、その後、文化人類学者の研究によって、異なる文化によっては、父・息子の葛藤はそれほど強くなく、エディプスコンプレックスも存在しない、と主張されるようになった。

ところで、最近アイヌ[4]の昔話を読んでいたら、「父親殺し」の話があって、大いに興味を惹《ひ》かれた。そのひとつは、娘と父親（養父《ようふ》）の物語である。実はこの村に病気が流行し、全員が死に絶《た》えそうになったとき、ある母親が神々に祈って、この子を育てて欲しいと願う。それを聞いて、ある神が人間になって彼女を育ててきた。それが父親なのだが、困ったことに彼は「人食《ひとく》い」で低い地位にある神だとのこと。彼は成人した娘を食いたくなって困る。詳《くわ》しいことは省略するが、彼女は「人食い」の父親を小屋に閉じこめ、それに火をつけて焼き殺してしまう。何とも凄《すさ》まじいことだが、これが悲劇にならぬところが、アイヌの話の特徴である。

娘の夢に人食いの父親が立派な服を着て現れ、「お前のおかげで、自分は人食いの罪を犯《おか》すのを免《まぬか》れ、位《くらい》の高い神に生まれ変わった」と感謝する。後はこの神が娘の

注3 エディプス王 ソフォクレス作。紀元前四三〇〜四二〇年ころの作。

問3 ここでいう「フロイトの考え」とは何か。

注4 アイヌ (aynu「人」の意) 主として北海道樺太《からふと》に住んでいる種族。

守護神《しゅごしん》になって、娘は幸福に暮らす。

　娘が父親を焼き殺したりするのに、*結果は悲劇にならない。これはどうしてだろう。それは、この他のアイヌの昔話を読み、アイヌの人たちの生き方について知ると納得《なっとく》できる。それは、アイヌにおいては、人間と自然、神との間や、生と死、などの境目《さかいめ》がきつくなく、すべてがつながり循環《じゅんかん》して全体性を保《たも》っているという事実による。娘が養父を焼き殺しても、それはむしろ「火」による浄化《じょうか》であり、父は生まれ変わって幸福になるのだ。

　子どもは親を乗《の》り越《こ》えて成長していくのだから、何らかの方法で象徴的に「母親殺し」、「父親殺し」をやらなくてはならない。それがうまく行われると、アイヌの話で、殺された父親が守護神になるように、新しいよい関係が生まれてくる。自然の知恵《ちえ》から切り離され、「父親殺し」の物語など忘れてしまった現代人は、象徴的にではなく実際的に父親を殺してしまうような生き方をするようになった。このあたりで少し「物語」の価値を見直してはどうだろう。

問4「結果」が「悲劇」にならないアイヌ社会とは、どのような社会か。

出典　『平成おとぎ話』（潮出版社・二〇〇〇年刊）

著者紹介　河合　隼雄（かわい　はやお）

一九二八〜二〇〇七年。兵庫県生まれ。ユング派心理学の第一人者。心理療法家。元文化庁長官。著書に『こころの処方箋』（新潮文庫）、『昔話と日本人の心』（岩波現代文庫）などがある。

まとめ

1 なぜ「物語」の価値を見直せと言っているのか。

6 評論

「主人《しゅじん》」から「夫《おっと》」へ

寿岳章子《じゅがくあきこ》

言語学者の立場から、暮らしの中における「男女差別」を問うた評論

「主人」と言わなかった母

私は自分の育った家庭で、ついぞ「主人」ということばを聞いたことがなかった。これには母*の並《な》み並《な》みならぬ思いがあったことだろう。母が父と結婚したのは一九二三年であった。[1]大正《たいしょう》十二年の春である。母、[2]静子《しずこ》は女学校《じょがっこう》二年になって早々《そうそう》、家庭の事情《じじょう》で退学《たいがく》せざるを得なかった。きわめて向学心《こうがくしん》の強い子であったから、どんなに辛《つら》かっただろうとは思う。家が大阪から東京へ出たり、また戻ったりあれこれしたあげく、早稲田大学予科在学中《わせだだいがくよかざいがくちゅう》の長兄《ちょうけい》、岩橋武夫《いわはしたけお》が突然の失明《しつめい》、眼科《がんか》で手術をし、長く苦しい入院生活をした。はじめは母親のはながつきそったが、大阪の家もいつまでも放《ほう》っておけず、長女の静子と看病《かんびょう》を交替《こうたい》する。度重《たびかさ》なる手術にもかかわらず、武夫には永遠《えいえん》の闇《やみ》の世界が訪《おとず》れた。

武夫は、大学もやめ、ただ家にこもって号泣《ごうきゅう》の毎日、死を決意さえしたが、何と

問1 「母の並み並みならぬ思い」とは、何に対するどのような思いか。また、どうしてそのような思いを持つのか。

注1 大正 大正天皇の代の年号。（一九一二〜一九二六）

注2 （寿岳《じゅがく》）静子 評論家。

か切りぬけ、新たな盲《もう》の世界に挑戦《ちょうせん》すべく、関西学院《かんせいがくいん》高等学部英文科に入学した。妹、静子はひたすら兄のさまざまな支えになりつづけた。関西学院にもしょっちゅう通《かよ》った。

若い娘と盲青年の二人づれの姿を見かけて、「メクラ、メクラ」と窓から揶揄《やゆ》する声もしょっちゅうであったが、彼女はすべてに耐《た》えた。それどころか、兄のクラスメート寿岳文章《じゅがくぶんしょう》[3]が、やはり苦難《くなん》の青春の果《は》てに関学《かんがく》に入っていて、辛い思いのある者どうし、武夫と親交《しんこう》を結《むす》ぶようになった。そして武夫の妹、静子との間に深い愛が成立し、結婚するに至ったのである。

こういう経歴《けいれき》の母だから、いわゆる学歴《がくれき》らしきものは皆無《かいむ》である。しかし母は聡《そう》明《めい》であった。また、少女期から人生そのものに取《と》り組《く》む志《こころざし》のようなものがちゃんとあった。男女差別の問題については、もう十七、八歳の頃《ころ》からしっかり考えがあったらしい。そして見えない兄のためにたくさんの本を読み聞かせたのが、大いに母を育てたらしい。

『戦争と平和』等《とう》[4]トルストイのものは特に多かったらしい。当時はトルストイがとてももてはやされていた頃だった。それにロマン・ロラン[5]の『ジャン・クリストフ』『魅《み》せられたる魂《たましい》』、そして静かに人生を探究《たんきゅう》した『アミエル[6]の日記』、そんな大作《たいさく》をせっせと声高《こえたか》く読んだらしい。それは兄のためであると同時に、窮極的《きゅうきょくてき》に

注3 寿岳文章（一九〇〇〜一九九二）神戸生まれ。英文学者、書誌学者。

注4 （レフ・ニコラエビチ・）トルストイ（Lev N. Tolstoy, 1828〜1910）ロシアの小説家。

注5 ロマン・ロラン（Romain Rolland, 1866〜1944）フランスの小説家、思想家。

注6 （フレデリック・）アミエル（Henri Frédéric Amiel, 1821〜1881）スイスの哲学者。

は母のためになった。そういうものを読みつづけて、しっかり彼女には思想がそれなりにできたらしい。親たちは平凡《へいぼん》な家庭教育しかしていないが、自力《じりき》で母はみずからを育てたらしい。

結婚――、双方《そうほう》ともに深く愛しあって、まったく対等《たいとう》の二人の関係。もちろん学問的には父に及《およ》ぶことはないけれども、ものの考え方そのものについては、母は父に少しもひけをとらなかった。当然、「主人」などということばは、最初から一度も使ったことがない。人に向かっては「夫」あるいは「文章」。世の人はよく姓《せい》で夫を呼ぶことがあるが、私だって同じ姓なのだからそれはおかしい、と母は生前言っていた。

「主人」という語は、やはり本来的には仕《つか》える対象を指すことばで、対等の人間関係を示す語ではない。夫婦関係で片方《かたほう》がシュジンという時、それは単に夫を指す呼《こ》称《しょう》にすぎず、語源的《ごげんてき》なものは失《う》せていると主張する人(とりわけ自分が「主人」と妻に呼ばれている人)も世に多いけれども、語源性はまだまだ強いと私は思う。

どうしてそんなことにこだわるのだ、どうでもいいじゃないか、という人もまた世の中には多い。それもご自由であるに違いないが、*気にする人をとやかく言うのはおせっかいだ。

問2　何を「気にする」のか。

16

他人の夫は「夫さん」

さて、そういう言語生活の家庭に私は育ったが、一般論としては「主人」を評価しない立場にあっても、一人一人の家庭のもの言いに口出《くちだ》しはしない。まったく本人しだいだからお好きなように、というわけである。

そんなわけで、私は「生活改善《かいぜん》グループ」[7]の人たちに「主人」はよしなさい、おかしい、なんて一言《ひとこと》も言ったことはない。そしてグループの人びともはじめは「主人」と言っていた。この本でも、彼女たちの物語をたびたびのせているが、いずれも「主人」と言っている。そう彼女たちは話したのだ。

ところが、ある頃から彼女たちは「主人」と言わなくなった。そして、「夫」を使いだしたのである。聞いてみると、「主人」というのはおかしいのとちがうか、と誰ともなく言いかわしはじめた。そしてそれなら何と言うか、「夫」というのがある、ということで「主人」を止《や》めたというのである。

そこまでは、それだけでもすばらしい、*いい話なのだが、そこからさきがまた一段《いちだん》といい話だ。自分の配偶者《はいぐうしゃ》に関しては「夫」でよいが、他人の夫はどうする？

さて……。さまざまの話し合いの結果、きまった。「夫さん」にしよう。

「夫さん」。このことばを聞いて、まず人は笑う。私はこの話をある連載随筆《れんさいずいひつ》に書

注7　生活改善グループ　戦後における農家の生活の向上と農村の民主化を目指したグループ

問3　何がどうして「いい話」で、さらにまた、それが「一段といい話」になるのか。

いた。そのエッセイにはいつもマンガチックな挿絵《さしえ》がつくのだが、その時にはオットセイの絵が書かれ、わきに「誰か私を呼びました？」と書いてあった。私はプスッと笑ったが、*腹立たしかった。

実はその頃、私はもう一つまったく別のグループの人たちがやはり「夫さん」を使っているのを知った。兵庫県宝塚市《ひょうごけんたからづかし》の女性たちである。宝塚大橋のらんかんに置かれた彫像《ちょうぞう》が、てのひらに女人が躍《おど》っている姿であるのを指して、市長が「*男のてのひらの上の女」と言った、そんな彫像は不必要だ、とっぱらえという怒《いか》りで行動をはじめた女性たちだが、そのリーダーの話をある会で聞いた時、その人は、

私たちは橋のたもとで彫像撤廃《ちょうぞうてっぱい》の訴《うった》えをかかげてハンストに入りました、仲間たちと共に。夫さんたちも妻の行動をよく理解して応援《おうえん》にかけつけてくれました。

とスルッと言ったのである。私はその「夫さん」を耳にとめて、とても面白《おもしろ》く思った。もうその人たちは平気《へいき》で、かなり以前から「夫さん」を使っていたのである。

まったく無関係に、二つのグループが相前後《あいぜんご》して「夫さん」を使い出した。もちろん他にも「つれあい」、そしてひとのつれあいに対しては「おつれあい」という言い方がもう一つあるが、彼女たちは「夫」や「夫さん」をえらんだ。それにはそれ

問4　何が「腹立たしかった」のか。

問5　「男のてのひらの上の女」とはどういう意味か。

なりの理由があろうが、一つが農村女性から生まれ出したのは、とても愉快《ゆかい》である。

彼女たちは忠実《ちゅうじつ》に、誠実《せいじつ》に「夫」、及び「夫さん」を使い出した。そして私も京都へ帰って使い出した。少しずつ私の仲間でも使い出した。「夫」はもちろん平気だけれど（私はシングル暮らしだから「夫」を使う必要はまずない。頻繁《ひんぱん》に使うのは「夫さん」である）、「夫さん」は正直《しょうじき》言って少々言いにくかったけれども、今日《こんにち》もう何年も使いつづけて平気になった。世の人たちがどう思おうと、私は「夫さん」を使いつづけてゆくだろう。慣《な》れの問題である。

とにかく、ことばというものに対して「グループ」の人たちがたいそう敏感《びんかん》でいいかげんでないことは、よくわかってもらえたと思う。

出典　『ひたすら憲法』（岩波書店・一九九八年刊）

著者紹介　寿岳　章子（じゅがく　あきこ）

一九二四〜二〇〇五年。京都府生まれ。国語学者、エッセイスト、社会運動家。言葉と女性差別の問題にかかわり、「憲法を守る婦人の会」の活動にも長年携わる。

まとめ

1 筆者が「主人」という呼称にこだわる理由は何か。

7 評論

安楽死《あんらくし》ということば

松田道雄《まつだみちお》

医者の立場から、安楽に死ぬとはどういうことかを問いかけた評論

安楽死ということば

お医者の治療が進歩したのは、[1]明治《めいじ》以来やってきた[2]文明開化《ぶんめいかいか》の結果です。老衰《ろうすい》の病人が楽に死ぬことのできたのは、日本の文化です。文明が文化をこわすようになったのは、山林《さんりん》や海辺《うみべ》の出来事《できごと》とかぎりません。どこの家庭にもおこってきたのです。

昔は日本の老人は*楽《らく》に死んでいましたから、とくに安楽死ということばはありませんでした。しいて探せば[3]「極楽往生《ごくらくおうじょう》」でしょう。

明治四十三（一九一〇）年に出た[4]三省堂《さんせいどう》の『日本百科大辞典《にほんひゃっかだいじてん》』には「安楽死」に類《るい》する項目《こうもく》はありません。イギリスでも「安楽死」は楽に死ぬという死の姿の意味でした。

それが十九世紀の末ごろから死《し》に瀕《ひん》して苦しんでいる人に死をもたらす行為《こうい》という意味にかわってきました。（オクスフォード辞典）

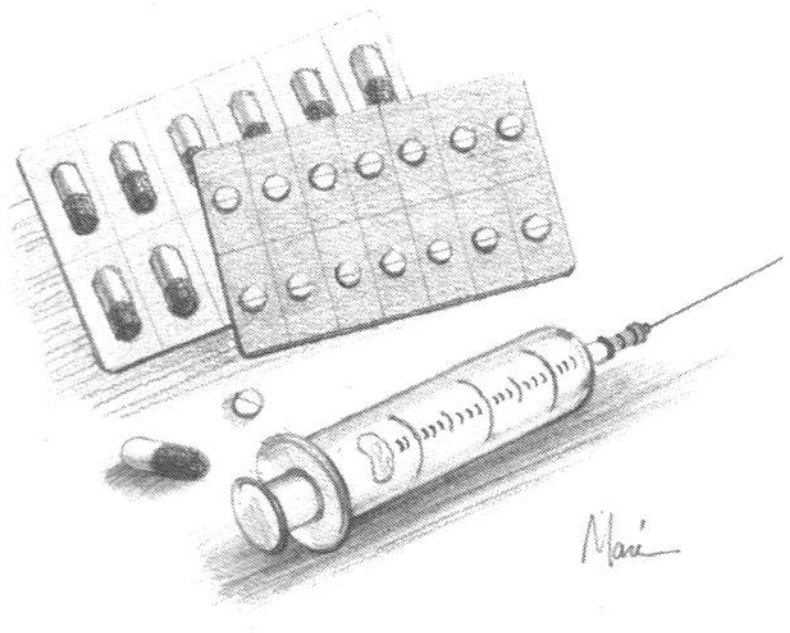

注1 明治 明治天皇の代の年号。（一八六八〜一九一二）

注2 文明開化 明治初年、日本が西洋文明を輸入し、急速に近代化をした現象。

問1 「楽に死ぬ」とは、どういうことか。

注3 極楽往生 安らかに死ぬこと。

注4 三省堂 辞典類などを刊行している出版社。

オクスフォード辞典では「死をもたらす」のは誰かということにふれていません。*先手《せんて》を打《う》ったのは医者でした。

十九世紀に医学は長足《ちょうそく》の進歩《しんぽ》をしました。病院ができて多数の病人を比較できるようになって医学は科学になりました。進歩した治療は病院でないとできなくなりました。多くの病気が手術や薬で治るようになりました。けれども、ガンや老衰は治せませんでした。死ぬにきまった病人はどんなに手をつくしても、むだだとわかってきました。色々手をつくすうちに病人と親密《しんみつ》になった医者の中から、これ以上命をのばすのは却《かえ》って、可哀相《かわいそう》だという気持がおこりました。もう治療は中止して、安楽に死なせてもいいのではないかという医者が、ヨーロッパのあちこちにあらわれました。それは十九世紀の後半でした。

ちょうどその時期に、ドイツに留学していた日本人がありました。[5]森鴎外《もりおうがい》です。二十四歳の多感《たかん》な青年です。鴎外は日本に帰って、その説《せつ》を紹介しました。ヨーロッパではその説をユータナジア[6]といいました。

[7]大正《たいしょう》五(一九一六)年に鴎外は*『高瀬舟』という小説を書きました。京都の[8]西陣《にしじん》で働いている仲のいいみなし児《ご》の兄弟の話です。弟が重い病気になり、兄に迷惑をかけたくないのでカミソリ自殺を企《くわだ》てました。それが失敗して、血は出るし、苦しいしで困り切っているところに兄が帰ってきました。弟はひと思いにカミソリを引き

問2 なぜ医者が「先手を打つ」ことになったのか。

注5 森鴎外 (一八六二〜一九二二) 小説家、翻訳家、軍医。代表作に『高瀬舟』『舞姫』など。

注6 ユータナジア (euthanasie, ユータナジィ) フランス語。

注7 大正 大正天皇の代の年号。(一九一二〜一九二六)

問3 鴎外は『高瀬舟』の中で「安楽死」をどう考えていたか。

注8 西陣 京都市上京区の堀川以西、一条以北の総称。西陣織で有名。

抜いてくれれば死ねるから抜いてくれと懇願《こんがん》します。その時の兄の気持を鴎外は書いています。

「ここに病人があって死に瀕して苦しんでいる。それを救う手段は全くない。どうせ死なくてはならぬものなら、あの苦しみを長くさせて置かずに、早く死なせてやりたいと云う情《じょう》は必ず起《おこ》る」

そういう人間の情から兄はカミソリを引き抜いて死なせ、殺人罪《さつじんざい》に問《と》われ遠島《えんとう》になるという小説です。

生きる見込《みこみ》が全くなく苦しんでいる親しい人間から早く死なせてくれといわれて承諾《しょうだく》するのは人情《にんじょう》だというわけです。この人情が病人と親しくなった医者に起っても不思議はないと鴎外はいったのです。ところが従来《じゅうらい》の西洋の医者の道徳《どうとく》は、そんな病人は苦しませておけと命じていました。鴎外はいいます。

「医学社会には、これ（苦しませておくこと）を非《ひ》とする論がある。則《すなわ》ち死に瀕して苦しむものがあったら楽に死なせて其苦《そのく》を救《すく》ってやるのがよいと云うのである。これをユウタナジィという」

今いう安楽死にあたる日本語がなかったので鴎外はギリシア語をそのまま使いました。

18

安楽「死」の二つの道

戦後ユータナジアを安楽死というまでは、日本の法律家は「速死術《そくしじゅつ》」とか「安死術《あんしじゅつ》」とかいっていました。術というのは医者だけが独占している医術という意味でした。

だが病人は苦しみから救われますが、医者は楽になる薬を一服盛《いっぷくも》るのですから、慈悲《じひ》の心からとはいえ殺人にちがいありません。

法律家が殺人を見すごすはずはありません。殺人にはちがいないが、医者の気持はよくわかるというので安楽死をさせた医者を無罪にしようと色々考えました。＊安楽死の条件というものです。

患者《かんじゃ》の病気がどうしても助からない病気であること、患者から死なせてほしいと切《せつ》にたのむこと、ほかの医者も診察して、たしかに助からないとみとめること、死なせるにしてもなるべくおだやかな方法でやること、素人《しろうと》にやらせず医者がやること、殺してくれとたのむ患者が精神病でないこと、などが、「安楽死」をさせた医者を無罪《むざい》にする条件としてだされました。

だが、それは医者がやることです。さっきかいた＊9オクスフォードの字引《じび》きに、「安楽死」が「死」の姿でなく、「死」をもたらす行為になったといいながら、誰が「死」

問4 「安楽死」になぜ「条件」をつけたのか。

問5 「オクスフォードの字引き」が暗示しているものは何か。

注9 オクスフォード字引きでの「euthanasia」の説明
euthanasia: the practice (illegal in most countries) of killing without pain a person who is suffering from a disease that cannot be cured

をもたらすかをかいていないのは、「死」をもたらすのは医者だけでないということを暗示《あんじ》しています。

救いようのない、苦しんでいる患者に「死」をもたらすのは、二つの道しかありません。医者の殺人か、患者の自殺です。

患者が楽にしてくれというのは、もう無益《むえき》な延命《えんめい》はやめてくれ、自分の命《いのち》を縮《ちぢ》めてくれ、というのですから、自殺にちがいありません。死にかけている患者は、自殺しようと思っても自分では簡単にできません。みてくれている医者の手《て》をかりるしかありません。患者の側からいう安楽死は、医者の幇助《ほうじょ》による自殺になります。

西欧ではキリスト教がさかんでしたから、自殺ということを頭から受けつけません。人間の生命の長さをきめるのは、神の御心《みこころ》だから人間が神から与えられた生命を縮めるのはゆるされないことでした。イギリスでは一九六一（昭和三十六）年まで自殺未遂《じさつみすい》は罰《ばっ》せられました。

日本でも自殺が新聞に出るのは、飛込《とびこ》み自殺とか、飛降《とびお》り自殺とか、投身《とうしん》自殺とか、刃物《はもの》や銃弾《じゅうだん》によるものとか、首《くび》つり自殺ですから、日常に平和に暮している一般の人にはむごくて恐ろしい、近づきにくいものです。だが老衰が進んでくると、生命が惜《お》しくなくなるのです。苦しみ通すよりも、おだやかな方法なら、死んでもいいという風《ふう》にかわってくるのです。これは若い人にはわからないでしょう。

医者は自殺を鬱病《うつびょう》の症状《しょうじょう》ときめていますから、「安楽死」に患者の道があるという 1
ことに思《おも》い至《いた》りません。

出典　『安楽に死にたい』（岩波書店・一九九七年刊）

著者紹介　松田　道雄（まつだ　みちお）

一九〇八～九八年。茨城県生まれ。戦後から一九六七年まで京都で小児科医を開業。在野の医学者として、患者の立場に立った医療と育児を考える。著書に、『私は女性にしか期待しない』、『私は赤ちゃん』（ともに岩波新書）など。

まとめ

1 筆者は同じ医者として、「安楽死」にかかわる医者をどう見ているか。

2 筆者は医者の立場から、「死」に対してどうかかわれると考えているか。

8
児童文学

わすれ傘《がさ》

吉《よし》田《だ》道《みち》子《こ》

子どものまなざしを通して、家族とは何かを問うた作品

02

洋《ひろし》はとびだそうとして、足をとめた。背中《せなか》でランドセルがゴソッと鳴った。

「やんなるなあ」[1]

雨がまたふってきた。昨夜おそくふりはじめた雨は、いったんあがったはずだった。

「かあちゃん」

奥《おく》にむかってどなった。返事がない。

くつをぬぎすてると、うす暗い棚《たな》から、手さぐりで傘《かさ》をとりだそうとした。一本もない。

かあちゃん、とどなって、すぐ店のほうへまわってみた。傘立てに、一本赤い柄《え》がみえる。

「うわあ、これ、一本かあ」

ひろげてみると、はでな花柄《はながら》。

注1 やんなる　「嫌になる」の意。

雨は、大ぶりになっている。洋は、バサッとひろげてとびだした。

放課後《ほうかご》、洋が傘をひらいたその後ろで、

「あっ、おかあちゃんの傘！」

大きな声がした。いくつもの傘と子どもでごったがえす通用口《つうようぐち》。ふりかえると、

女の子が、洋の顔を上目《うわめ》づかいににらみつけている。

「なんや」

洋もにらみかえした。

胸《むね》に白い札《ふだ》。一年生だ。四年の洋は青。そこに名前が書いてある。いかわゆかこ。

「その傘、おかあちゃんのやし[2]、かやして[3]」

女の子はそれだけいうと、目に涙《なみだ》をためた。

「おまえんちのやて[4]。ほんまか[5]」

女の子は、だまって首をこくんとした。

「ようよう、人の傘、使ってんのかよう」

「それはないんじゃ、ありませんか」

いろんな声がかかった。

「なにい」

注2　やし　「だから」の意。

注3　かやして　「返して」の意。

注4　やて　「だって」の意。

注5　ほんま　「本当」の意。

洋は、声のするほうへとびかかろうとした。

「かやして」

女の子が強くいった。

「あらよ、かえしてやらあ。そーら」

*いうなり、傘をほうりなげると、洋は雨のなかをかけだした。

2 03

「あ、おかえり」

ちらりと顔をあげただけで、かあさんは、カウンターのかげで包丁《ほうちょう》を使っている。

洋は奥《おく》にいったんひっこみ、こんどはタオルを持って、髪《かみ》の毛をふきながらでてきた。

「かあちゃん、傘、おれの傘まで貸すの、やめてくれへんか[6]」

「あ、洋の傘、あらへんかった[7]？　ごめん」

かあさんは、包丁の手をとめずにいった。

「きのうの晩《ばん》、店閉《し》めるころから急にふりだして、家にあるいろんな傘、貸《か》したんや」

小さな飲み屋だが、五時からの開店にいそがしい。ガス台のなべをみたり、薬味《やくみ》用《よう》にネギを切ったり、かあさんは、洋の目の前をいったりきたりした。ゆげがあがり、だしがつおとこんぶのいりまざったにおいがした。

問1　洋はどのような気持ちで言ったのか。

注6　くれへんか　「くれないか」の意。

注7　あらへんかった　「なかった」の意。

「そいで、一本もあらへんかった？」

じゃがいもをむきながら、かあさんがきいた。

「一本だけ、のこってた」

洋がぶすっとこたえたそのあとを、

「あ、そう」と短くこたえ、すぐ、あっと顔をあげた。

「あれやろ。はでな花柄の」

「そや」

「ふふ、あれだけは、みなもって帰らへん[8]。家でもめるもんね。この女傘《おんながさ》はだれのって」

ここではじめて、洋の顔をみつめていった。

「え、まさか、あれ、もっていったん？」

「そや、傘はあれだけやったし」

「で、どうなったん？」

「もめた」

「もめた？」

「うん。おかあちゃんの傘やし、かえしてっていわれたわ」

「だれに？」

注8　帰らへん　「帰らない」の意。

2 04

「一年の女の子」

「へえ、で、かえしたんか。そやから[9]、頭ふいてんのやなあ。ごめん」

「うん。でも、あれ、うちの傘やろ？」

洋がきくと、すぐ、かあさんはこたえた。

「そや。あれだけは、かあちゃんの傘や。店にはわすれ傘がたくさんあるけどな」

「そやから、こまるんや」

洋は、ごしごしと強くタオルをうごかした。

ここ「ちろり」は[10]ＪＲで京都駅《きょうとえき》からひと駅東、山科駅《やましなえき》の裏通りにある。いま、山科は京都市内を東西に走る地下鉄開通《かいつう》で駅前《えきまえ》を開発中《かいはつちゅう》であり、「ちろり」もにぎわっている。常連客《じょうれんきゃく》以外に、工事関係《こうじかんけい》の人たちも飲みにくる。

そうした客がきげんよく帰ろうとするとき雨がふっていると、店では傘を貸し、おくりだす。反対に、いい気分でいるとき雨もあがるということがある。すると、傘だけが店のすみのつぼにのこされる。それがわすれ傘で、洋の傘もこの中によくまぎれる。

「このあいだ買《こ》うてもろうた青い傘、だれがもっていったんや。買うてや、また」

返事がない。タオルのすきまからのぞくと、かあさんは、なにか考えているようすだ。

注9　そやから　「それだから」の意。
注10　ＪＲ　(Japan Railways) 鉄道会社の呼称。

「かあちゃん！」

洋が強い調子で声をかけたとき、同時に、

「どんな子やった？」

かあさんは、視線《しせん》を洋にうつしていった。

「どんな子って……」

洋が首*をかしげると、

「それよか[11]、洋、おぼえてへん[12]？　あの花柄の傘のこと」と、かあさんがきいた。

洋は、さらに、首をかしげた。

「傘をもってきたあの日のとうちゃんのことも、わすれたんかいな」

かあさんは、洋をみつめていった。

洋の実の父は、二つのとき亡《な》くなり、いま工事現場《こうじげんば》でクレーン車を動かしているとうさんは、三年前、地下鉄工事がはじまったころにやってきた店の客だった。

「雨がふってた日？」

「そうや」

九月のその日は土曜日だった。四時ごろからふりはじめた雨が、店をあける寸前《すんぜん》には、どしゃぶりになっていた。

「ああ、ひどい目にあった」

問2　どうして洋は首をかしげたのか。

注11　それよか　「それより」の意。

注12　おぼえてへん　「覚えてない」の意。

男の人が店にかけこんできた。そして、すぼめもせずにいた傘をかあさんの目の前につきだした。あざやかな色合《いろあ》いの花がかさなるように大きく描《えが》かれている。

「これ、プレゼント。ひとあし先に使わせてもらったけど」

男の人はいった。ここにくる途中《とちゅう》、雨がふってきて、傘買おうと店にはいったら、この花の傘がぱあっと目について、おれのための黒い傘より、どうせなら、あなたにプレゼントしよう……。

「ほら、外国の映画でよくあるやろ。女の人に花束をもっていくの。あれやて」

「あー、思いだした。そうか、それで、あくる日が日曜日」

「そや[13]、洋の父親参観日《さんかんび》やった[14]」

その男の人は、いままでになんども店にきていた。洋は、おっちゃん、と呼び、その背中《せなか》にはりつき、首にぶらさがった。そして、父親参観にきてとたのんだのだ。だから、前日の雨の土曜日はそのリハーサルだった。洋の好《す》きなもの、洋のクラスと担任《たんにん》の先生、ついでに洋の生まれた日時《にちじ》と場所、その様子と、いろいろかあさんがいい、男の人はおぼえこんだ。

「洋くんの父親になったみたいだ」

といっていた男の人は、当日、沢木《さわき》洋くん、と先生が呼《よ》んだとき、洋と同時に、はい、と大声でこたえてみなにわらわれていた。

注13 そや「そうだ」の意。

注14 やった「だった」の意。

それから、いつのまにかいっしょに暮《く》らすようになり、自然に、おっちゃんからとうちゃんへと、洋の呼《よ》び方もかわっていった。とうさんになったその人はいった。

*思い出は、過去《かこ》にあるだけではない。これからの長い未来《みらい》にもたくさん横たわっている。力を合わせていろんな思い出をつくろう。

2 05

「洋」

急に呼《よ》ばれて、かあさんをみた。

「あの傘、ほんまはその女の子のおかあさんのものやあらへん[15]よね」

かあさんは、*そんなことを考えていたのだ。

「でも、いま、かあちゃんゆうたやん[16]。お店で買うて、かあちゃんへのプレゼントやて」

「うん。でも、それは、とうちゃんのうそで、ほんまは傘を持ったまま、その女の子の家をでて、そのまま……」

「おれんちへ……？」

「うん、その子、とうちゃんににて[17]へんかったか？　とうちゃん、ここへくるまでのことは、なあんもいわへんしなあ」

「ほな、どうなるん。傘といっしょに、とうちゃんもかえすんか？」

洋のことばに、*かあさんはだまった。

問3　「思い出は……をつくろう」と話すとうさんの思いはどのようなものか。

注15　あらへん　「ない」の意。

問4　かあさんは、どのようなことを考えていたのか。

注16　ゆうたやん　「言ったじゃない」の意。

注17　にてへん　「似ていない」の意。

問5　かあさんが「だまった」のはなぜか。

七時すぎ、洋がおちつかないまま、裏口《うらぐち》をみていると、

「やあ、洋、でむかえか。めずらしい」

とうさんが帰ってきた。

「あれ、その傘、おれんのや[18]」

「お、そうか。すまん、すまん。いや、なに、朝みると、二本しか傘がなかったんだ。へんな花柄のと、この青い傘」

とうさんは、傘のしずくをはらうと、土間《どま》におき、仕切《しき》りからそっと店をのぞいた。

「いそがしそうだな。食べたら交代《こうたい》するか」

へんな傘だなんて、わすれているのかな、と洋は首をかしげ、ちょっとほっとしたが、すぐまた不安《ふあん》になった。

「とうちゃん、あのう」

うん、と、とうさんはふりかえり、

「たのみごとなら、あとあと。さ、めし食《く》おう。腹《はら》、へった、へった」

いいながら、手をあらい、ガスに火をつけ、ビールの栓《せん》をぬいた。

「かるーく、いっぱい」

うれしそうにいい、そらまめをつまみ、

「はい、洋にはみそ汁《しる》」

注18　おれんのや　「おれのだ」の意。

おわんを洋にわたし、とうさんは手早《てばや》く食事をすますと、かあさんと交代した。

あがりがまちで、かあさんがきいた。

「とうちゃん、なんか[19]ゆうてはった？」

洋は首をふった。

「洋は、なんか[20]ゆうたん？」

「ううん」

「そやな。[21]いいようあらへんもんね。とうちゃんもわすれ傘ですかって、[22]きけへんもんね」

かあさんは、べそをかいたような顔をしていた。

*そういえば、一年ぼうずもこんな顔をしていた。洋もべそをかきたくなった。

あんな、と洋は考えながらいった。

「もしも、とうちゃんがそうでも、[23]かえさんかっていいよね。もう、おれたちのもんやし」

「そやな……そうしようか。かえって[24]きいひん傘もあるんやし。あちらさんには、あきらめて[25]もらわんとな……」

ちらりと、また一年ぼうずの顔がうかんだ。とつぜんかあさんがどなった。

「ああ、あ、いやになるなあ、この雨」

注19 ゆうてはった 「言っていた」の少し丁寧な言い方。

注20 ゆうたん？ 「言ったのか」の意。

注21 いいよう 「言い方」の意。

注22 きけへん 「聞けない」の意。

問6 「かあさんは、べそを…。……洋もべそをかきたくなった」とあるが、三人のそれぞれの気持ちはどのようなものか。

注23 かえさんかって 「返さなくても」の意。

注24 きいひん 「来ない」の意。

注25 もらわんと 「もらわないと」の意。

窓のむこう、街灯《がいとう》の下で、雨が風にあおられ、ふきとばされていく。

「ようし、きいてみよう。思いきって」

かあさんは立ちあがった。

洋もついていった。

「とうさん、ちょっと」

店に顔を半分だしただけで、小さな声で、かあさんは、カウンターにむかっていった。

2 06

とうさんが気づいてふりむいた。

そのときだった。店の戸があいた。

「らっしゃい！」

とうさんの威勢《いせい》のいい声に、のれんをかきわけ、はいってきたのは、女の人だった。
＊女の人は、一瞬《いっしゅん》たじろいだようだったが、
「ゆかこ、おいで」

と、うしろをふりむいていった。そのことばに戸《と》から顔をだしたのは、あの子だった。

「あっ、一年ぼうず！」

洋が声をあげた。

問7　女の人が「たじろいだようだった」のはなぜか。

「すみません。傘、おかえしにあがりました。息子さんの傘をゆかこがかんちがいして」

女の人がいうと、女の子も頭をさげた。

とうさんが、洋のほうへ目をやった。

「この世の中で、同じ柄《がら》の傘は何本もあるんよ、っていってきかせましたが」

女の人のことばで少し事情《じじょう》がわかったらしく、とうさんはわらいながら女の子にいった。

「こういっちゃなんだが、かわった傘だもんね。一本きりしかないと思うやね」

「うん、家に帰ったら、あったん[26]。そっくりなんやもん[27]。これ」

女の子は、母親が手にする傘を指さした。

「ばーか」

洋は、かあさんのうしろでアカンベエをした。

「よく、ここだとおわかりになりましたねえ」

かあさんは*安心しきったような顔できいた。

「中に名前と住所がかいてありましたから」女の人は、いつのまにか、かあさんと話をしている。とうさんは、店の客たちと、これまでになくした傘の話をしだした。

親子が帰ったあと、かあさんと洋は、傘をひらいてみた。天井《てんじょう》の骨《ほね》に布《ぬの》がまきつけ

注26 あったん 「あったの」の意。

注27 なんやもん 「なのだから」の意。

問8 なぜ「安心しきったような顔」をしたのか。

である。かあさんも洋も気がつかなかった。そこには店の住所とかあさんの名前、沢木典子《のりこ》、が書いてあった。とうさんの字だった。

店を閉《し》めてかあさんがおふろからでて、それをまっていたかのようにとうさんがいった。

「さて、聞こうか。かあちゃんと洋。なにか、ききたいことがあったんだろう。きょうは、ふたりともおちつかなかった」

かあさんと洋は、顔を見あわせた。と、すぐ、かあさんがいった。

「洋、なにがききたかったん。えんりょしんと[28]、さ、なんでもかまへん[29]から、きいてみ」

「あ、*ずる。かあちゃんのほうがきいたら」

洋も負けずにいいかえした。

「へんなやつだなあ。ふたりとも」

とうさんは、つかれたのかねむいのか、目をしばたいて、ふたりをみた。

注28　えんりょしんと　「遠慮しないで」の意。

注29　かまへん　「構わない」の意。

問9　洋は、かあさんのどのようなところが「ずる（ずるい）」と思っているのか。

出典　『京都の童話』（愛蔵版県別ふるさと童話館 日本児童文学者協会編・リブリオ出版・一九九九年刊）

著者紹介　吉田　道子（よしだ　みちこ）
東京都生まれ。児童文学者。京都日本語学校講師。著書に『きりんゆらゆら』（くもん出版）、『12歳に乾杯！』（国土社）など。

まとめ

1 とうさんはどのような人物だと思うか。

2 「洋」という子どもの目を通して描かれているが、それは、どのような効果を出しているか。

9 評論

リーダーシップ論《ろん》

西《にし》堀《ぼり》榮《えい》三《ざぶ》郎《ろう》

南極越冬隊長の体験から、社会・企業におけるリーダーシップとは何か、を論じた経営学的な評論

リーダーとしての心得《こころえ》

リーダーの役割《やくわり》の第一は、組織《そしき》の協同の目的を設定《せってい》し分配《ぶんぱい》することである。リーダーとは社長、あるいは部長、課長というように、「長」と名のつくことの多い人たちであるが（前にも述べたように「上役《うわやく》」ではなくチームの代表として考えたい）、ポジションのいかんにかかわらず、リーダーに共通する条件として、チームの目的を明確にできる人、そして目的を達成するための方針《ほうしん》を与えられる人、チーム全員の意欲をかき立てられる人、ということになろう。

いままで述べてきたことの繰《く》り返《かえ》しになるけれども、リーダーは組織に目的を与えたら、その目的を達成する具体的な方法は各自《かくじ》に任《まか》せることである。「目的さえ達成すれば、自由にやってよろしい。手段は任せます」とするわけだ。しかし、だからといって、すべてが自由にやれるというわけではない。自由というものにはおの

ずから制限があるのは当然のことで、できるだけこの制限を少なくするのがリーダーの務めである。要は最小限の制限のなかで、自分の自主管理能力に応じて自己判断でやらせることである。

しかし、「任すから自由にやれ」といっても、最初から難しい仕事がやれるわけはなく、その人の能力の範囲内でしかやれない。目的の達成度はその人の「自主管理《じしゅかんり》能力《のうりょく》」に関係してくるのだ。そこで、リーダーは、この自主管理能力を伸ばすために「教育」を施《ほどこ》すことになる。

そして、教育によって自主管理能力が高まるにつれ、任せられる範囲がだんだんに広がっていく。最初はひとつの仕事しかできなくても、次にはもうちょっと幅の広い仕事ができるようになり、その次にはさらに一段と幅の広い仕事というふうに、だんだんと仕事の範囲が広がっていくのである。そして、幅の広い狭いにかかわらず、任せたことについては一から十まですべて責任をもたせることである。

そのときリーダーに必要なのは、「勝手《かって》にやれ」と放《ほう》っておくのではなく、「陰ながら見守る」*という態度である。この「陰ながら」が大切で、本人がヒントを必要としていると思えば、本人の自主性を損《そこ》なわない程度にヒントを与えてやり、求められれば参考程度の助言《じょげん》をしてやることである。

さて、リーダーの立てた目的を分配し、各自が自分の役割を自主的に果たしてい

問1 「陰ながら見守る」とは、どういう態度か。

たとしても、目的成就《じょうじゅ》までには予定がしばしば狂《くる》うものである。そのときいかに対《たい》処《しょ》できるか、情勢《じょうせい》の変化にいかにうまく臨機応変《りんきおうへん》の術《すべ》がとれるかが、リーダーとしての腕の見せ所でもある。いかに早く感知《かんち》し、いかに早く的確《てきかく》な手を打つか、それがひいては「禍《わざわ》い転《てん》じて福《ふく》となす」ことにつながるからだ。

臨機応変の処置《しょち》をちゃんと行うためには、事が起こったときにあわてふためかないことである。おろおろするだけに時間を費《つい》やすことがあってはならない。そのためには「平常心《へいじょうしん》」*というものが必要になってくるが、平常心は事にあたったときの人間の心を柔軟《じゅうなん》にしてくれる。心が柔軟であれば、その場の事情がそのままに見えてきて、対処する名案《めいあん》が次々と浮かんでくるのである。

そして、この平常心はリーダーだけではなく、全員にとっても必要である。したがってリーダーは、ふだんからチームの全員に「平常心」を植《う》えつけておくべきであろう。

2 08

[1]アムンセンと[2]スコットに見るリーダーシップ

リーダーはいかにあらねばならないか、また、リーダーシップとはいかなるものか、それを考える上でもっとも適当と思われるのが、前世紀の初め、南極点《なんきょくてん》を目指《めざ》して熾烈《しれつ》な闘《たたか》いを繰《く》り広《ひろ》げたアムンセンとスコットである。[3]本多勝一《ほんだかついち》著の『アムンセン

問2 「平常心」はなぜ必要なのか。

注1 アムンセン (Roald Amundsen, 1872～1928) アムンゼンともいう。ノルウェーの探検家。一九一一年十二月、南極点に初めて到達。

とスコット』(教育社一九八六)で、私はそのリーダーシップを「二つのリーダーシップ」として解説した。それを紹介したいと思う。

二十世紀のはじめ南極を舞台《ぶたい》に、極点いちばんのりを目指して熾烈な闘いをくりひろげたノルウェーのアムンセン隊《たい》とスコット隊の話は、よく知られているところである。アムンセン隊がゆうゆうと極点いちばん乗りを果たしたのに対し、遅れて到達したスコット隊はその帰途《きと》全員死亡という悲劇《ひげき》に見舞《みま》われた。極限の状態の中で最後まで軍人《ぐんじん》としての務めを果たそうとしたスコットの行動は、英雄《えいゆう》としてイギリスのみならず国外でも多くの人たちから讃《たた》えられている。

私は今まで数多くの探検記《たんけんき》を読んできた。もちろんアムンセンとスコットの探検記も読んでおり、それらはそれなりに愉《たの》しく得るところもたくさんあった。けれども、アムンセンとスコットのように、同時期に同目的をもって同一の地域を探検し、片方が成功しもう一方が敗《やぶ》れたというような場合、両隊の行動を比較しながら読んだときはじめて両隊の全貌《ぜんぼう》と相違がわかり、なぜスコット隊が失敗しアムンセン隊が成功したのか、その原因がはっきりと見えてくるのである。

本多勝一君《くん》の今回の試《こころ》みはそういう意味で真に当を得た意義深《いぎぶか》いものであり、多くの極地《きょくち》探検家(机上《きじょう》も含めて)の期待に応《こた》えてくれたものである。

注2 スコット (Robert Falcon Scott. 1868～1912) イギリスの探検家。二度目の南極探検で一九一二年一月、極点に到達。

注3 本多勝一 長野県生まれ。ジャーナリスト。

2-09

この比較によって、私も両隊の行動を一段と高いところから神のような気持ちで見つめることができた。そしてアムンセンは運《うん》がよかった、スコットは運が悪かったと、簡単に運命論《うんめいろん》だけでは片《かた》づけられないことに気がついた。*運とか不運は神様だけが決めるもので、本当に人間の力の及ばない絶対的なものなのであろうか。私はそうは思わない。

運と不運を分ける点はほんのちょっとした小さな分岐点《ぶんきてん》の決断《けつだん》にある。右にとるか左にとるかの選択によって、運命は大きく分かれるのである。はじめはほんの小さなささいなことだと思われる誤《あやま》りでも、後になってそれは、隊に致命的《ちめいてき》な打撃《だげき》を与えることにもなる。あたかも汽車のレールがポイントのところではわずか数《すう》センチしか違っていなかったのが、先にいけば何百キロも違う方向へいってしまうというように、最初の小さな失敗は次々に分岐点での誤りを重ねて、ますます悪循環《あくじゅんかん》を招《まね》いていく。スコットの場合にはそれが「貧《ひん》すれば鈍《どん》する」ということばのようになって現れた。反対にアムンセンは幸運は幸運を呼んで、ますますトントン拍子《びょうし》に大成功にすすんだのである。

このようにアムンセン隊とスコット隊の運命を分けることになった隊長の決断の背景《はいけい》には隊長自身の性格と過去の経験の差があるといえよう。

まず最初に両者の*情熱《じょうねつ》の差がある。アムンセンは少年のときから極地探検家を志《こころざ》

問3　筆者は「運」「不運」についてどう思っているか。

問4　二人の「情熱の差」は、どこに根ざしているか。

していた。十五歳のとき読んだフランクリン[4]の探検記に深く心を奪《うば》われて、大きくなったら極地探検家になることを夢見《ゆめみ》て、そこに全力《ぜんりょく》を注《そそ》ぎ込《こ》んだのである。そのためにできるかぎりの勉強をし、実際に探検家にも会って話を聞き、機会あるごとに実地《じっち》での体験をつんだ。さらに極地に耐《た》えうる強《きょう》じんな肉体づくりにも励《はげ》んで、心身両面からの鍛練《たんれん》を怠《おこた》らなかったのである。それに比べてスコットは自《みずか》らが望んだ極地探検ではなく、南極に強い情熱をもっていたマーカム卿《きょう》によってお膳立《ぜんだ》てされた南極行きであった。したがって南極を目指した時点《じてん》で、もう既に二人の間にはすべての基礎となる「心構《こころがま》え」の差ができていたのである。

よく人はリーダーの素質《そしつ》は生まれながらのものであるというが、決してそれだけではなく、目的に向かっての日常のたゆまない努力が優れたリーダーとしての性格をつくりあげるのだということをこの本は証明している。

この両隊長の性格の違いがもっともよく表れているのは隊の運営《うんえい》の仕方《しかた》である。二つの隊を比較してみたとき、両隊の運命を分けた運営の差が隊長のリーダーシップにあったということと、それが隊全体の士気《しき》につながったということが分かる。隊の運命は隊長だけで決まるものではなく、隊長を含めた全隊員の一挙手一投足《いっきょしゅいっとうそく》が小さな分岐点で運命を左右《さゆう》して決まるものである。そのためには隊長は運営の上で常《つね》に隊員をして打てば響くような、そして「細心《さいしん》の注意」を払《はら》って事にあたれるよ

注4 フランクリン（John Franklin, 1786 ～ 1847）イギリス海軍将校、北極探検家。

うな教育を普段からしておかなければならない。そのような運営をしなければならないという点において、スコット隊の敗北《はいぼく》は隊長たるスコットに全責任があったともいえるのである。

両隊長のリーダーシップというものの根本的《こんぽんてき》な*考え方の違いは、二人の育った環境によるものであろう。

スコットは海軍《かいぐん》の将校《しょうこう》であったから、おそらくイギリス海軍式の階級制度《かいきゅうせいど》をとり入れた運営をしていたと思われる。それは隊員に対してひたすら従順《じゅうじゅん》であることを要求し、命令に忠実《ちゅうじつ》に行動することに意義《いぎ》を認めていたのでないだろうか。そのような階級制度を取り入れた運営のもとでは隊員は、命令に従わなかったらいけないという恐怖感《きょうふかん》に似《に》た気持ちに常に脅《おびや》かされ、やらされているという気持ちからイヤイヤ仕事をすることになって、精神的にも肉体的にもはなはだしい疲労《ひろう》を生《しょう》じさせる。仕事というものは自らが強い「やる気」をもってやるのでなければ、「細心の注意で」など決してできるものではない。そのことは私の南極体験や品質管理の体験からもよく分かったことである。

それに比べてアムンセンは隊員の自主性《じしゅせい》を尊重《そんちょう》するチームワークで運営した。どうすれば隊員のひとりひとりが自主的に楽しんで仕事をやれるようになるかを考え、それにはまず隊員自らに考えさせることからはじめたのである。考えることによっ

問5　「リーダーシップ」についての二人の「考え方」の違いはどのような形で現れたか。

て仕事は自分のものになり、意欲《いよく》をもって仕事をすることになる。この強い意欲が「細心の注意」の強力な原動力《げんどうりょく》になるのだということをアムンセンはよく知っており、いろいろな場面で、隊員に自主性の重要さを体得《たいとく》せしめる努力をしていた。

それは雪メガネの例によく表れている。アムンセンは雪メガネをどういうものにしたらいいかと彼らの提案《ていあん》を募集《ぼしゅう》した。おそらくそのときアムンセンには、自分の長い雪国《ゆきぐに》生活での体験からどういう雪メガネがいいのかはわかっていたはずだ。それをあえて口に出さず、全員に問いかけたというところにアムンセンの深い思慮《しりょ》がうかがえ、隊長としての立派さを感ずるのである。

すべての隊員が自主的に仕事をやるようになれば、隊長がいちいち命令しなくても隊はうごく。全員が参画《さんかく》精神をもってひとつの目的に向かったとき、スポーツにおけるチームワークのような素晴《すば》らしい力を発揮《はっき》することができる。アムンセンはチームリーダーとして、こうした人間の心理をよくつかみ、それを隊の運営に活《い》かしていたのである。

2 10

そもそも組織論でいえば組織は小さければ小さいほどよい。それは組織が小さいほど目的を徹底《てってい》させやすいし、よりよい自主的なチームワークが発揮できるからである。もちろん探検とは異なるが、品質管理などの小集団活動[5](QCサークル)の意義もそこにある。

注5 QCサークル Quality Control Circle

その点アムンセン隊もスコット隊も最終攻撃隊《こうげきたい》は五人という小人数であったから、素晴らしいチームワークを発揮でき得る条件下《じょうけんか》にはあったはずだ。しかし同じ五人でもスコット隊の場合には、*五人になったいきさつに問題があった。スコットは最初四人での極点攻撃を考えていたにもかかわらず、なぜか五人にした。手にケガをしていたエバンズ隊員をはずすことなく、その補強策《ほきょうさく》としてバワーズ隊員を加えたのである。

四人で攻撃する計画であったものを五人にしたとき、そのチームワークはどうなるか。荷物をソリに積むにも食事をつくるにも、身にしみついた四人の行動パターンがある。それが五人になったとき、いままでとはちがうぎごちなさが生まれるだろう。極限の状態でのぎごちなさは、心身ともに隊員を疲れさせることになるに違いない。

チームワークだけではなく、食料や燃料《ねんりょう》にも、またテントの居住《きょじゅう》性にも影響が及《およ》ぶことは目に見えている。それをあえて五人にしたのは、ひとりでも多くの隊員に極点を踏《ふ》ませてやりたいというスコット隊長の人情《にんじょう》だったのだろうか、それとも書かれてはいないが、海軍という階級社会ではいちばん下に位置する水兵《すいへい》であった体格のいいエバンズを労働力として連れていきたかったのだろうか。

隊員が死んでいく順序はエバンズ、オーツ、バワーズ、ウイルソン、スコットの

問6 「五人になったいきさつ」にどのような問題があったのか。

順になっており、これは階級の順に近い。隊長はその責任感から最後まで頑張《がんば》ったのだという見方もできようが、心理的肉体的な疲労が階級の低い者の死を早めたということもできるのである。

スコットには、階級的差別が隊にどのような影響を及ぼすか最後まで分かっていなかった。もし分かっていたとしたら、あのとき既に体力の衰《おとろ》えをみせていたエバンズを攻撃隊員に選ぶようなことはしなかっただろう。スコットの決断の誤《あやま》りがエバンズを殺し、オーツを殺し、最後には全員を殺したのだといえるのではないだろうか。

もうひとつに隊長の犯《おか》しやすい誤りとして、*「あわて者《もの》の過ち」という軽率《けいそつ》さがある。

計画段階でのスコットの誤りは荷物運搬《うんぱん》の主力《しゅりょく》を馬においた点である。これは以前犬を使ったときに何らかの理由で犬が死んでしまい役に立たなかったという未熟《みじゅく》な経験からきている。「たまたま使った犬が役に立たなかった」からといって「そもそも犬は役に立たない」と決めてしまったところにスコットの誤りがあった。統計《とうけい》的《てき》品質管理ではこのような誤りを「第一種の過誤」として強く戒《いまし》めている。ちょっと試《ため》してみてうまくいかなかったからといっていとも簡単にあきらめてしまう態度は、リーダーとしてもっとも慎《つつし》むべき態度である。ここでスコットは重要な誤りを計画段階で犯していたことになる。

問7 「あわて者の過ち」とはこの場合、何を指すか。

だからといってスコットは犬をまったくあきらめたわけでもなかった。馬を主力にして、雪上車《せつじょうしゃ》と犬ゾリを併用《へいよう》した運搬を考えていたのである。これは事前《じぜん》の調査が十分にできず、どれがよいかという確信がもてなかったスコットの迷《まよ》い心《ごころ》からきた判断であろうが、結果的には馬も犬も雪上車もまったく役に立たず、最後には人間がソリを引くことになった。

「これが駄目ならあれ」という手段は非難《ひなん》されるべきことではない。しかしそれをするためには、それらすべての手段が十分に使えるという確信《かくしん》のもとにとられなければならない。スコットの場合には万事《ばんじ》が中途半端《ちゅうとはんぱ》であった。雪上車をもって行っても修理《しゅうり》できる人がいなかったし、馬に食べさせる。ペミカン式の食糧《しょくりょう》（乾燥牛肉、干果実、脂肪、小麦粉などを混ぜて固めた保存食）を研究しておくような思慮にも欠けていた。

こうしてスコット隊の誤りを挙《あ》げだすときりがないが、スコット隊の敗因《はいいん》は隊長の判断《はんだん》ミスばかりではなく、ちょっとした隊員のうっかりミスや工夫不足《くふうぶそく》も原因となっている。

たとえばデポ地（物資や荷物を行程の途中に置いておく場所）に残しておいた燃料の欠乏《けつぼう》である。それは隊員たちに心理的肉体的な打撃を与えた。凍傷《とうしょう》の体を温《あたた》めることもできず、スープの量も制限された。これなどは本当にちょっとしたミスが招《まね》いた惨事《さんじ》である。燃料を入れておくブリキ缶《かん》の口金《くちがね》を事前にチェックし、もし駄目なら工夫をすれば防げた事故である。おそらくスコットは「注意せよ、注意せよ」と、たびたび隊員にいっていたにちがいない。しかしことばでは注意を促《うなが》していたにしても、隊員をして工夫のもとになる情熱と平常心を仕込《しこ》むことに欠けていたのだ。リーダーたる者は、各隊員に真剣《しんけん》さと平常心を促す重要な役目を担《にな》っている。

*全隊員が平常心をもってすべての事にあたるように仕込むにはどうすればよいか、それにはまずリーダー自らが平常心をもって決断し行動することである。未来は必ずしも過去の延長《えんちょう》ではない。未来はまったく未知《みち》の暗《くら》やみである。未来に何が起こるかは誰もわからない。ましてや神でもない人間のリーダーにわかるわけがない。けれども未来がわからないからといってリーダーが少しでも不安顔《ふあんがお》をすれば、隊員の不安をますますつのらせることになる。不安は取《と》りこし苦労《ぐろう》となって平常心を失わせ、結果として物事の判断を誤らせることになるのである。

それではいったい平常心を失わないためにはいかなる態度でいればよいのだろうか。それは楽観的《らっかんてき》な態度である。自分は神に守られているのだという信仰心《しんこうしん》のようなものが、何もわからない未来に向かう人間を不安から解放して楽観的にし、そこに平常心が生まれる。

平常心は事にあたった時の人間の心を柔軟にする。心が柔軟であれば、その場の

問8 「全隊員が平常心をもってすべての事にあたるように仕込む」ために、リーダーには何が必要か。

事情がありのままに見えてきて、対処《たいしょ》するための名案がつぎつぎと浮かんでくる。これを*「神の啓示《けいじ》」という人もある。

私は初めて南極に行くとき、出発を前にして不安で不安で仕方がなかった。何か足りないものがあるのではないだろうか、無事に全隊員を日本に連れて帰ることができるのだろうかと、大きな不安におそわれて「宗谷《そうや》」[6]の甲板を行ったり来たりしていたものである。しかしその時、ひとたび「私は神に守られている。だからどんな苦境《くきょう》におちいっても必ず知恵《ちえ》が授《さず》かるんだ」と思った途端《とたん》、気持ちがすっと落ちついたのを記憶している。

楽観的に構えていれば未来に対する不安は消える。たとえ失敗したとしてもくよくよ考えないで、「過ちは改むるに憚《はばか》ることなかれ」という態度になれるのである。そういう自信に満ちた態度こそが平常心を保ち、分岐点での判断を誤らせないことになるのである。アムンセンはそれを無言《むごん》のうちに隊員に教えていた。

アムンセン隊の行動をみていると、全員が平常心をもって一丸《いちがん》となり、極点到達という目的のもとに嬉々《きき》として行動していたようすが目に見えるようである。たとえば第七章の「南極への旅立《たびだ》ち」に、アムンセン隊出発の次のような場面がある。

「どうだね。出発しようか」

*「待ってました。そろそろやりましょうや」

問9 「神の啓示」とは何か。また、なぜそういうのか。

注6 宗谷 南極観測船。第一次から第六次の観測に従事。

問10 「待ってました」という表現には、どのような

この表現からは、アムンセン隊の楽しそうなようすと、行ってみて無理ならば引き返せばいいという楽観的な態度がうかがわれる。

一方、スコットは極点に到達したとき、アムンセンに先《さき》を越《こ》されたことを知って「極点、……神よ、ここは恐ろしい土地だ」と日記に書いた。同時に帰り途《みち》への不安ものぞかせている。このスコットの不安は必ず隊員に影響したはずだ。全員の不安と怖れが帰途での行動の判断を狂わせ、不幸が不幸を招いて、[7]一トンデポの近くまで来ていながら全員死亡という最悪の結果になったような気がしてならない。

このようにアムンセン隊とスコット隊の行動を比べてみたとき、アムンセンは成功すべくして成功し、スコットは敗れるべくして敗れたとしかいいようのないことに気がつこう。

アムンセンは、経験からきた隊長としての心構え、隊の運営方法、すべての面でスコットより優れていた。このことが運命を分ける分岐点にきたとき、アムンセンの判断の背景にあって、アムンセンに正しい決断を下させ、運が運を呼んで、アムンセンに勝利をもたらしたのである。会社の社長にたとえれば、アムンセンが初代《しょだい》創業主《そうぎょうぬし》として名実《めいじつ》ともに社長だったのに対し、スコットは実力のともなわぬ*雇《やと》われサラリーマン社長であった。

現在では極地探検は日常的なものになり、毎年南極に隊をおくり、無事に帰って

ニュアンスがあるか。

注7 一トンデポ
one ton dépôt
トン（ton）は重量や容量を表す単位。

問11 「雇われサラリーマン社長」とは、どのようなものか。

くるのが当たり前のことのようになっているが、わずか七十年前には通信機もなく知識もなく、暗やみの中を手探《てさぐ》りで行くような冒険的《ぼうけんてき》探検的要素を多分《たぶん》にもっていた。そうした未知の地域《ちいき》を探検するとき、いかなる心構えで臨《のぞ》まねばならないか。アムンセンとスコットの探検がそれをよく教えてくれる。

未知の地域の探検に限らず、学問の上でも、さまざまな仕事の上でも、これから新しくすすんでいく未来はまったく「未知の分野」である。未知の世界をすすんでいくときの指針《ししん》として、この本は大いに役立つだろうと思われるのである。

出典　『技士道 十五ヶ条 ものづくりを極める術』（朝日文庫・二〇〇八年刊）

著者紹介　西堀　榮三郎（にしぼり　えいざぶろう）
一九〇三～八九年。京都府生まれ。技術者、登山家、探検家。第一次南極観測越冬隊長。

まとめ

1 リーダーの心得として必要なものは何か。

2 筆者は、アムンセンとスコットの二人のリーダーシップを、どう評価しているか。

3 すぐれたリーダーの条件は何か。

4 「アムンセン」と「スコット」をリーダーとしてどう思うか。

日 本 の 歌

故《ふる》郷《さと》

文部省唱歌

一 兎《うさぎ》追《お》いしかの山《やま》、
小鮒《こぶな》釣《つ》りしかの川《かわ》、
夢《ゆめ》は今《いま》もめぐりて、
忘《わす》れがたき故郷《ふるさと》。

二 如何《いか》にいます父母《ちちはは》、
恙《つつが》なしや友《とも》がき、
雨《あめ》に風《かぜ》につけても、
思《おも》いいずる故郷《ふるさと》。

三 こころざしをはたして、
いつの日《ひ》にか帰《かえ》らん、
山《やま》はあおき故郷《ふるさと》。
水《みず》は清《きよ》き故郷《ふるさと》。

――『尋常小学唱歌』（六）』大3・6

故　郷
♩= 80
mf
うさぎおいしかのやま
こぶなつりしかのかわ
p
ゆーめはいーまもめーぐーりーて
mf
わすれがたきふるさと

10 エッセイ

魚の骨

山《やま》田《だ》 稔《みのる》

フランス文学者らしいエスプリのきいた作品

2 14

[1]花粉症《かふんしょう》になったらしいので耳鼻咽喉科《じびいんこうか》の医院へ行った。かかりつけの老医師が亡くなった後、この医院は初めてである。新しいマンションの二階。待合室《まちあいしつ》は以前の医院の薄暗《うすぐら》さとは対照的に隅々《すみずみ》まで蛍光灯《けいこうとう》に照《て》らされ、美容院かと戸惑《とまど》う。*

順番が来て氏名を呼ばれ診察室《しんさつしつ》に入ると、さらに椅子《いす》にかけて待たされる。なんでこんなことをするのか知らないが、最近こういう医院がふえたようだ。

その位置からは医者と患者《かんじゃ》の姿が見えるだけでなく、問診《もんしん》のやりとりの一部始終《いちぶしじゅう》が聞きとれる。患者のプライヴァシー、ゼロである。

私の前の患者は高三《こうさん》くらいの男の子、医者は若く(といっても五十前後だが)、寡《か》黙《もく》だった老医師に比べ舌がよく回る。そのつるつるした感じがどことなく待合室の雰囲気《ふんいき》に似ている。

「どうされました」

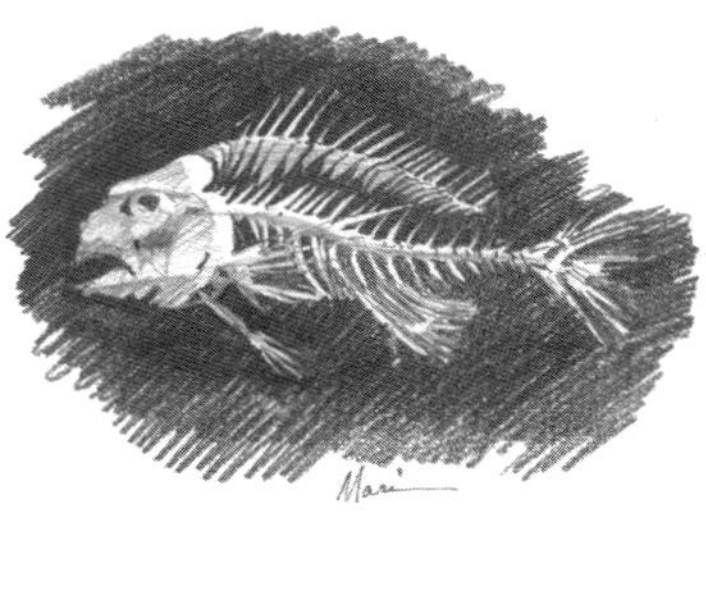

注1 花粉症 杉などの花粉によって起こるアレルギー性炎症。

問1 「私」は、この医院に対して、どのような印象を持ったか。

「魚の骨がのどに刺《さ》さって」

おや、と聞き耳を立てる。私も何度か経験があるからだ。

「何の魚です？」

「スズキ」

「スズキ……どんな字を書くんだったかな」

「さあ……」

「スズキって、どんな漢字？」とこんどは若い看護婦に訊《き》いている。知っているはずがない。

スズキは難しいな、と頭のなかで書いてみる。口で説明するのは容易《ようい》でない。魚の名によって骨の大きさ、硬《かた》さなどがわかるだろう。だがわが亡き老医師は一度もそんなことを訊《たず》ねたことはなかった。この医師は若いだけに＊科学的なのか。しかしカルテに記入するのに漢字が必要か。それなら漢和辞典《かんわじてん》を備《そな》えつけておけばよかろう。

するとこんな声が聞こえてきた。

「スズキなんて高級な魚はめったに食べたことがない。私なんかサバとかアジ……」

かんじんの骨の方は見つからず、念《ねん》のためと、鼻の奥《おく》深くまで内視鏡《ないしきょう》みたいなも

問2 「私」は、なぜ「科学的」という言葉に傍点をつけたのか。

2 15

ので検査されたあげく、異常なしでその若い患者は放免《ほうめん》された。

その数日後に、こんどは私がのどに魚の骨をひっかけて診てもらう羽目《はめ》になったとは、*ふしぎなめぐり合わせと言うべきである。

「どうされました」

あらかじめ記入してある問診表に目をやりながら、医者が訊ねる。

「のどに魚の骨が……」

「何の魚です？」

スズキと答えそうになるのを抑《おさ》えて、*つい「タイ」と答えてしまった。実はアジなのに。

「タイ……タイは魚偏《うおへん》にシュウやったかな」

ひとりごちながらカルテに記入して、

「タイなんかめったに食べたことありませんなあ。私なんかサバとか……」

医者はほとんど嬉《うれ》しそうに言う。

サバという漢字は魚偏にブルーでしたね。――この長嶋語録《ながしまごろく》[2]をご存じか。

のどを調べたあげく、何も見つからないと医者は言う。鼻の検査はごめんだぞと、

「すぐそこ、指で取れそうな感じで」

あわてて訴《うった》えるとあらためて深々《ふかぶか》とのぞき込み、やがて「あった！」と歓声《かんせい》

問3　どの点が「ふしぎ」なのか。

問4　なぜ、つい「タイ」と言ってしまったのか。

注2　長嶋　長嶋茂雄《しげお》。一九三六年千葉県生まれ。五八年から野球選手。後、監督。王貞治《おうさだはる》とともに読売ジャイアンツで一時代を築いた国民的野球

を上げた。そしてそうっとピンセットで抜《ぬ》き取った小骨《こぼね》をしげしげながめ、バレたかと思っていると「こいつはでかいな」と呟《つぶや》いて、珍しい標本《ひょうほん》でもこしらえるようにセロテープでカルテに貼《は》りつけた。

もう三十数年も前のことだが、スペインを旅行していたとき同行《どうこう》の友人ののどに魚の骨が刺さり、医者に取ってもらったことがある。そのさいは言葉で難儀《なんぎ》した。医者がフランス語は少し解ると言うので私が説明役を買って出たのだが、かんじんの「骨」(os)というのが通じないらしい。あれこれ言葉を重ね、やっと解《わか》らせることができた。

後《あと》で知ったが、osというフランス語は人間やけだものの骨をさし、魚の骨はarêteというのである。

先日、くだんの友人に会い、たまたまその話になった。

「これくらいあったな」

と、彼が指を三センチ以上も開いて見せるので、大げさな、と私は笑った。ところがさらに、

「なかなかの美人だったな」

と言うではないか。女医《じょい》だなんてとんでもない。いくら否定しても、

選手。その人気は、実力はもちろん人柄とその発言によるところが大きい。その発言の一つに次のものがある。「サバってどういう字を書くんでしたっけねぇ」と記者に聞いたところ、記者が「魚へんに青ですよ」と言ったら、「魚へんにブルーですか」と言ったらしい。これら、英語由来の外来語を多く使ったものを長嶋語録という。

「ふっくらした手の感触《かんしょく》をちゃんと憶《おぼ》えている」とまで断言されては黙《もく》*さざるをえない。 1

三十数年の時間は魚の骨を成長させたのみならず、医師の性まで変えてしまった。

出典　『あ・ぷろぽ――それはさておき』（平凡社・二〇〇三年刊）

著者紹介　山田　稔（やまだ　みのる）

一九三〇年、福岡県生まれ。フランス語を教えるかたわら、小説、エッセイなどを書く。フランス文学の翻訳書も多い。著書に『シネマのある風景』（みすず書房）など。

問5　「黙さざるをえない」私の思い、とはどのようなものか。

まとめ

1 「私」は花粉症になったときにかかった医師に、どのような思いを持っているか。

2 このエッセイの前半と後半のおもしろさは、各々どこにあるか。

日本の歌

冬景色《ふゆげしき》

文部省唱歌

一
さ霧《ぎり》消《き》ゆる湊江《みなとえ》の
舟《ふね》に白《しろ》し、朝《あさ》の霜《しも》。
ただ水鳥《みずとり》の声《こえ》はして
いまだ覚《さ》めず、岸《きし》の家《いえ》。

二
烏《からす》啼《な》きて木《き》に高《たか》く、
人《ひと》は畑《はた》に麦《むぎ》を踏《ふ》む。
げに小春日《こはるび》ののどけしや。
かえり咲《ざき》の花《はな》も見《み》ゆ。

──『尋常小学唱歌』（五）』大2・5

冬景色

♩=100
さ ぎ り き ゆ る み な と え の
ふ ね に し ろ し あ さ の し も
た だ み ず と り の こ え は し て
い ま だ さ め ず き し の い え

11 評論

痛いといわなければ、痛くないのと同じです

柳《やなぎ》澤《さわ》嘉《か》一《いち》郎《ろう》

生命科学者の立場から、医学の盲点になりやすい「痛み」について論じた文章

2 16

家内は、長いこと*痛みの発作《ほっさ》に苦しめられてきた。痛みは激しく、突然に、くり返しやってきた。ひどいめまい、嘔吐《おうと》そして腹部痛が何日もつづき、七転八倒《しちてんばっとう》した。いろんな病院で検査を受け、大勢《おおぜい》の専門医たちに診《み》てもらった。が、原因はまったくわからず、治療法もなかった。ある大学病院で、慢性《まんせい》の疼痛《とうつう》治療が専門という医師に診てもらったとき、その医師は私にこういった。「痛いといっても無視しなさい、そうすれば痛いといわなくなります」。「痛いといわなければ、痛くないのと同じです」。

痛みとは一体なんだろう。

なぜ人は痛みを感じるのだろう。おそらく痛みは、生きるのに必要不可欠なものとして、進化の過程に生じてきたのにちがいない。もし人が痛みを感じなかったら、

問1 「痛み」とは何だと思うか。

長くは生きられないだろう。

ライリー・デイ症候群《しょうこうぐん》という病気がある。アメリカの小児科《しょうにか》医、ライリーとデイがみつけた神経《しんけい》の病気で、近縁《きんえん》結婚をするユダヤ人の社会によくみられる。この病気の子どもは痛みをあまり感じない。こうした無痛覚《むつうかく》の病気は他にもある。遺伝《いでん》的なものが多く、兄弟で無痛覚症ということもある。完全な無痛覚症には、外傷《がいしょう》やからだの不調《ふちょう》を知らせてくれるシグナルとしての痛みがない。そのために、足に釘《くぎ》が刺《さ》さっても、火傷《やけど》や骨折《こっせつ》をしても、傷が感染《かんせん》し化膿《かのう》しても気がつかないでいて、若《わか》死《じ》にする。もし家族が、子どもが無痛覚症であることを、早くから気づいて気を配ってやれば、病気や事故をあるていど防いでやることはできる。けれども、どんなに気を配っても、予期しない事態がおこる。

カナダのある内科《ないか》医は、娘が食事中に舌の先を噛《か》みきったのに、少しも痛がらないので、無痛覚症であることを知った。娘は非常に聡明《そうめい》で、痛みを感じないということ以外すべてまったく正常だった。父親は同僚の医師たちに精密《せいみつ》な検査や治療をお願いした。が、なすすべはなかった。家族はたいへんな注意をはらって、その娘を育てた。おかげで娘は怪我《けが》も病気もせずに順調に育った。けれども、*まったく予期しない障害《しょうがい》が生じてきた。私たちは日常、無意識にたえず体を動かしている。同じ姿勢のまま長くいることはない。右足に体重をかけてしばらくすれば、すぐに疲

問2 「まったく予期しない障害」とは何か。

2 17

れてくる。そこで左足にかけかえ、そして、また右足にかけかえる。寝ているときも同じで、たえず寝返《ねがえ》りをうつ。ところが、痛みや疲れの感覚がないと、つい気づかずに、ずーっと同じ姿勢をとりつづける。そのために特定の関節《かんせつ》だけに負担がかかって、炎症《えんしょう》をおこしたり損傷《そんしょう》したりする。が、気づかない。さらには血流の阻害《そがい》がおこって筋肉や関節の組織が壊死《えし》し、そこに菌《きん》が感染する。

いつもからだに気をつけていたため、娘は外傷を負《お》ったり病気になることはなかった。けれども、膝《ひざ》や大腿骨《だいたいこつ》の関節や脊椎《せきつい》に障害をかかえるようになった。そして、くりかえし外科《げか》手術を受けているうちに、骨髄《こつずい》に菌が感染して亡くなった。死後の検査では、末梢神経《まっしょうしんけい》も中枢神経《ちゅうすうしんけい》もすべて正常で、異常はまったく認められなかった。

こうした無痛覚症の患者《かんじゃ》がいる一方、比べようもないほど大勢の人たちが、日夜《にちや》不要な痛みに苛《さいな》まれている。生きて地獄《じごく》の苦しみの人たちもいる。しかし、痛みは他人にはわからない。患者がいくらその痛みを医師に訴えても、それを医師に実感させることはできない。そのために、どんなに患者が痛くても、痛いといわなければ痛くないのと同じ、という認識ができあがってしまう医師もいる。こうして*痛みは医学の盲点《もうてん》になりやすい。

*痛みはどうして生じるのだろう。医学の教科書をみると、たとえば、手足に傷害を受けると、その刺激《しげき》が神経末端《まったん》の受容器でうけとられ、末梢神経から脊髄をへて

問3 「痛みは医学の盲点になりやすい」とあるがなぜか。

問4 「痛み」が「生じる」のはなぜか。

脳の視床《ししょう》とよばれる部分に伝えられる。そこからさらに、脳の皮質《ひしつ》に放射《ほうしゃ》されて痛みとして認識される、と書いてある。しばらく前までは、視床が痛みのセンターとされていた。しかし、視床をとりのぞいても、止まらない痛みがあることや、そうした考えでは説明できない痛みがあることから、いまでは、大脳皮質《だいのうひしつ》の感覚野《かんかくや》をはじめ、いろいろな領域《りょういき》が痛みに関与《かんよ》していると考えられている。

〝ダンス・ウィズ・ウルブズ〟[1]という映画があった。一八六〇年代のアメリカを描いた壮大《そうだい》な映像叙事詩《えいぞうじょじし》である。その冒頭《ぼうとう》に、南北戦争[2]の場面がでてくる。戦場では手、足に創傷《そうしょう》をうけた兵士《へいし》たちが、野戦《やせん》病院のテントのなかで容赦《ようしゃ》なく軍医に手、足を切断《せつだん》される。こうして手、足を切断された兵士たちのなかに、傷が治ってからも、失った手、足の激痛に苛まれるという不思議な現象があることを、ミッチェルという医師が発見した。また、切断はされないが、受けた銃弾《じゅうだん》の傷の痛みがいつまでも続くことがある、ということも見いだした。

すでに失われた手、足が痛むとは一体どういうことだろう。たいていの人は手、足が切断されても、しばらくの間はまだ自分の手、足があると感じているという。そのため、失ったほうの手で、ものを掴《つか》もうとしたり、失った足でベッドから立とうとしたりする。しかし、手、足の形がだんだん不鮮明《ふせんめい》になっていったり、あるいは、手、足がじょじょに短くなっていくような気がして、やがてその存在感が消失する

注1 ダンス・ウィズ・ウルブズ Dance with Wolves

注2 南北戦争 一八六一年から六五年までアメリカ合衆国の南部と北部との間で行われた内戦。

という。

すでにない手、足が痛む幻肢痛《げんしつう》は、手、足を切断した人たちの七、八パーセントに生ずる。痛みはもとの傷の*箇所《かしょ》に、もとの傷のような痛みで生じてくることが多い。切断直後からおこることもあるが、たいていは何週間か何カ月かして、傷がすっかり治ってから、ある日、突然、痛みが生じてくる。そして、そのまま何十年もつづいたり、ときには痛みが悪化していく。切断箇所や、その近くの背中や腹部などに、軽く触っただけで激痛が誘発《ゆうはつ》されたりする。さらに、排尿《はいにょう》や排便《はいべん》、あるいは他人と口論《こうろん》するなどして、精神的に動揺《どうよう》しても激痛が誘発されるようになる。最初のころは、幻肢痛は切断された箇所に神経腫《しゅ》ができて、それが痛むものと考えられた。しかし、外科的に神経腫を除いても効果はほとんどなく、また、脳への痛みの伝達経路《でんたつけいろ》である感覚神経根《かんかくしんけいこん》や脊髄の上行路《じょうこうろ》を切断しても、痛みはほとんど止まらず、この考え方は否定された。

2 18

幻肢痛と同じような不思議な痛みに、カウザルギーとよばれる痛みがある。これもミッチェルが発見した。この痛みは、*貫通《かんつう》銃創など銃弾で末梢神経が傷つけられた人たちの約五パーセントにおこる。痛みの特徴は激しい灼熱《しゃくねつ》痛で、傷跡《きずあと》を火であぶられているようだと患者はいう。痛みは傷がすっかり治ってからも、いつまでもつづく。幻肢痛のように、傷跡や体の他の部分にちょっと触っただけでも激痛がお

問5 「幻肢痛」と「カウザルギー」とは、それぞれどのような痛みか。

こったり、ときには、手足をわずかに動かしただけでも痛みが生じてきて、患者はまったく身動《みうご》きもできなくなってしまうことがある。

リビングストーンという医師は、アメリカの海軍病院に入院していたカウザルギーの患者が、近くの基地《きち》に航空機が発着《はっちゃく》するたびに、激痛のあまり悲鳴をあげたと報告している。このように、この痛みは感覚神経だけでなく、視覚や聴覚の神経が刺激されても引きおこされる。さらに、幻肢痛同様、精神的な苦痛など、入力《にゅうりょく》されるさまざまな神経の刺激が、すべて痛みとして受け取られてしまうのである。こうしてみると、痛みは、たんに視床や大脳皮質の体性感覚野だけでなく、視覚野や聴覚野、さらには記憶や感情をつかさどる領域までもが関与していることになる。このために、あなたの痛みは気のせいだ、と医師は患者にいったりする。

*近代医学は科学的であることを標榜《ひょうぼう》している。科学的であるということは、病気には必ず原因があり、病因が究明され発病のメカニズムが解明されて、はじめて、その病気の治療法が確立される、という考え方である。この考え方に基づけば、脳の記憶や感情のメカニズムなどがまだまったく解明されていない現在、痛みのメカニズムを解明し、完全な治療法を確立するのは不可能ということになるだろう。しかし、標榜とは違って、原因もメカニズムもよくわからないが、とりあえず治療可能という病気はたくさんあるし、また、分子メカニズムはまったくわからないが、

問6 「近代医学は科学的であることを標榜している」とあるが、科学的であることで痛みの治療は可能か。

なぜか効くといった薬もいっぱいある。幻肢痛は手、足の切断面を麻酔《ますい》することで止まることがあるし、原因不明の慢性疼痛には、うつ病の患者にのませる抗《こう》うつ剤《ざい》が、なぜかわからないがよく効くことが経験的にわかっている。また、ひどい神経痛には、てんかん[3]の患者にのませる抗《こう》けいれん剤が効く。

家内は三十年間、原因不明の痛みに苛まれてきた。どこの病院でも診断がつかず治療法もなくて、最後の二年間は身動きもできずに寝たきりだった。モルヒネも、どんな痛み止めも効かなかった。それでも最後にと、抗うつ剤と抗けいれん剤をのませてみた。ところが、三十年の痛みがぴたりと止まったのである。そして、立って歩けるようになった(『ふたたびの生』[4]柳澤桂子《やなぎさわけいこ》、草思社)。家族にも医師にもまったく信じられないことだった。

ひさしぶりに知りあいの医師にあった。私が家内の快復をつげると、その医師は日焼《ひや》けした顔をほころばせて、こういった、

*「いやーあ、医学というものは、たいしたもんですなあー」。

*「此頃ハもう昼夜とも苦痛煩悶《はんもん》のみにて楽しき時間といふ《(う)》もの少しも無御座候《ござなくそうろう》……只《ただ》地獄にでも落ちたや《(よ)》うに苦しんでいるとは御祖母様《おばばさま》はじめどなたも御存《ごぞんじ》あるまじく候《そうろう》」(『墨汁一滴《ぼくじゅういってき》』[5]正岡子規《まさおかしき》、岩波文庫)

注3 てんかん　癲癇。発作的に起こる意識障害と痙攣《けいれん》を主症状とする慢性疾患。

注4 柳澤桂子　一九三八年東京都生まれ。理学博士。

問7 医師のことばを聞いたときの筆者の心情はどのようなものか。

問8 なぜ正岡子規の言葉がここに引用されているのか。

注5 正岡子規（一八六七〜一九〇二）愛媛県生まれ。俳人、歌人。

まとめ

1 「痛み」は、近代医学でどのようにとらえられているか。

出典 「ヒトという生きもの」連載②（草思社 雑誌『草思』・第二巻 第六号 通巻十四号掲載）

著者紹介 柳澤 嘉一郎（やなぎさわ かいちろう）
一九三一年、長野県生まれ。生物学者。著書に『遺伝学』、訳書に『ハスコヴィッツ現代遺伝学』、『生命科学への道』（以上、岩波書店）など。

12 評論

国字《こくじ》作成《さくせい》のメカニズム

阿辻哲次《あつじてつじ》

国字を苗字に持つ体験から、そのルーツとメカニズムについて論じた言語学的な文章

Ⅰ

数年前まで、初対面《しょたいめん》の中国人と名刺《めいし》を交換する時には必ずといっていいほど、貴《き》殿《でん》の姓《せい》には妙《みょう》な字があるが、この「辻《つじ》」というのはいったいどういう意味であるか、まともな漢字なのか、それとも日本で作った記号のようなものなのか、また漢字であるとすれば、中国語ではいったいなんと読めばいいのか、などとあれこれと尋《たず》ねられたものだった。筆者がはじめて北京《ペキン》に暮《く》らした頃《ころ》（一九八〇年）は、まだ日本人がそれほど中国にいなかったものだから、会合などの折《お》りに差し出した名刺にある「辻」でずいぶん議論がはずんだものだ。他《ほか》の人ならものの一分《いっぷん》もあれば自己紹介が済《す》んでしまうのに、筆者の場合は「辻」に関して*話に花が咲くので、まず五分は必要だった。

いうまでもなく「辻」は「畑《はたけ》」や「畠《はたけ》」、「榊《さかき》」、「鴫《しぎ》」などと同じように日本人が作っ

問1 「話に花が咲く」のはなぜか。

た文字であり、中国にはこれらの漢字がもともと存在しなかった。このような和製《わせい》漢字を、日本では「国字」*と呼ぶ。

中国に存在しない漢字には、もちろん中国語の字音《じおん》がない。しかし中国では日本人の姓名が中国語で発音される。山田さんはShāntián[1]さんであり、中川さんはZhōngchuānさんである（その逆にMáo Zédōngと発音される毛澤東[2]を日本では「もうたくとう」と呼んでいる）。だから筆者のように国字を姓名にもつ者は、その字に関して本来は存在しない中国語での字音をみずから創作しなければならないことになる。

ただし国字の中国語音をまったく勝手《かって》に作っていいというわけではなく、一定《いってい》の原則らしきものがないわけではない。*漢字の大多数は「形声文字《けいせいもじ》」、すなわち意味を表す要素である「意符《いふ》」と発音を表す要素である「音符《おんぷ》」の組み合わせで作られているから、これらの和製漢字も形声文字と同様に考え、字形《じけい》の右半分（いわゆるツクリの部分）に基づいて字音を作り出すことになる。「辻」ならばシンニュウの上にある《十》によってshí（《十》の中国語音、以下同じ）と、「畠・畑」なら《田》によってtiánと、「榊」なら《神》によってshénと発音する、という次第《しだい》である。

このような国字の中国語音がいつ頃《ごろ》できたのか、またこの形声の原理を逆《ぎゃく》に利用した読み方をはじめたのが中国人なのか、それとも日本人なのか、少し調べたのだが筆者にはまだわからない。しかし近年に日中間の人的《じんてき》交流がさかんになるにつれ

問2　「国字」には、どのようなものがあるか。

注1　Shāntián　「山田」の中国語読みのアルファベット表記。

注2　毛澤東　（一八九三～一九七六）中国の政治家、思想家。

問3　「漢字の大多数」はどのようにして作られたか。

て、国字の中国語での読み方がかなり定着《ていちゃく》したようで、現代中国のもっとも規範的《きはんてき》な辞書である『現代漢語詞典《げんだいかんごしてん》』にも「辻」など和製漢字が収録《しゅうろく》され、右半分を声符《せいふ》として字音を定めている。ちなみに「辻」にはshíと音注《おんちゅう》が施《ほどこ》され、意味の欄《らん》には「日本漢字、十字路口、多用于日本姓名」と記《しる》されている(一九九六年修訂第三版)。おかげで最近は中国で自己紹介する時にかかる時間がずいぶん短くなった、というのが、国字を姓にもつ者の印象《いんしょう》である。

Ⅱ

中国語での発音を定める際には国字を形声文字と見なすことが多いが、しかし実際の造字《ぞうじ》では国字は「会意《かいい》」の方法で作られたものが圧倒的《あっとうてき》に多い。会意とはいくつかの要素を使って文字を作る時に、それぞれの要素がもつ意味を総合的に組み合わせて、全体としての意味を導《みちび》き出《だ》す方法で、たとえば《人》と《言》を組み合わせて「信」という字を作り、「人間の言葉は誠実《せいじつ》である」ということから「まこと」という意味を表すごとき方法である。

実際に会意の方法で作られた国字について、以下にいくつか例をあげる。

《几》（風の省略形）＋《止》で「凪《なぎ》」
《木》＋《神》で、「榊《さかき》」（神にお供《そな》えする木）
《魚》＋《雪》で、「鱈《たら》」（雪の季節の魚）
《衣》＋《上》＋《下》で、「裃《かみしも》」（上下そろいの衣）
《人》＋《夢》で、「儚《はかない》」
《身》＋《美》で、「躾《しつけ》」（身体を美しく見せるための教え）

この方法は漢字の意味に習熟《しゅうじゅく》している日本人にはたやすく理解できるもので、上にあげなかった例でも、「鴫《しぎ》」「峠《とうげ》」「颪《おろし》」などは、そのなりたちが即座《そくざ》に理解できるであろう。

大多数の国字はこのように会意で作られている。しかし中には、ごくまれだが形声の方法に準拠《じゅんきょ》して作られた国字もある。同様に例をあげれば、

《金》＋《遣》（読みヤリ）で、「鑓《やり》」
《手》＋《窄》（音《おん》サク）で、「搾《サク》」
《金》＋《兵》（音ビョウ）で、「鋲《ビョウ》」
《月》＋《泉》（音セン）で、「腺《セン》」

《魚》＋《康》（音コウ）で、「鱇《コウ》」

《人》＋《動》（音ドウ）で、「働《ドウ》」

などがその例である。ここでの音符（形声文字で発音を表す要素）は、上の例では「鏮」だけを例外として原則的に音読みが使われるから、これなら中国人にも比較的理解しやすい。実際に「腺」や「働」などは「逆輸出《ぎゃくゆしゅつ》」＊され、今の中国で使われる漢字ともなっている。

さらにまた、字音を利用するものの外《ほか》に、たとえば《麻》と《呂》をあわせて「麿《まろ》」としたり、《久》と《米》をあわせて「粂《くめ》」とするように、二つの漢字を合成し、それぞれの日本語での読みをつなげて全体の読みを作り出すというユニークな方法まである。この例はあまり多くないが、中国では鹿《しか》の一種を表す「麑《ゲイ》」を上下に分けると《鹿》と《児》になることから、「麑」一字で鹿児島《かごしま》という地名を表す文字として使うのも、「麿」などと同様の発想によるものである。

ところでこのような「国字」は、そもそもいつ、だれが、どのようにして作ったのだろうか。この問題に正確に答えるのは非常に困難なのだが、しかし現在までの出土《しゅつど》資料《しりょう》から考えれば、国字はすでに奈良《なら》時代《じだい》から使われていたことがわかっている。[3]和銅《わどう》三（七一〇）年から[4]延暦《えんりゃく》三（七八四）年まで都であった平城宮跡《へいじょうきゅうあと》から近年大量の[5]木簡《もっかん》が発見されており、その中に「鰯《いわし》」という字が見える。「鰯《いわし》」は《魚》と《弱》

問4　ここでいう「逆輸出」とは何を指すのか。例を挙げよ。

注3　和銅　（七〇八〜七一五）奈良時代、元明天皇の代の年号。

注4　延暦　（七八二〜八〇六）奈良後期〜平安初期。桓武天皇の代の年号。

注5　木簡　文書などを記録した小さな木の札のこと。荷札として使われたものが多い。

を組み合わせ、「弱いサカナ、すぐに死ぬサカナ」という意味で、会意の方法で作られた国字である。しかし平城京の前に都とされていた藤原宮《ふじわらきゅう》跡から発掘《はっくつ》された木簡にもイワシは登場するのだが、そこでのイワシは音仮名《おんかな》(*万葉仮名《まんようがな》)で「伊委之」と書かれている。そのことから考えれば、もともと漢字では表現できない事物《じぶつ》や概念《がいねん》を日本人は万葉仮名で書き表していたのだが、それがある時期から専用の文字を作って表現するようになっていった、と考えられる。その変化の背景には、もちろん正《せい》規《き》の漢文の学習が普及し、漢文の形式に準拠した文書の作成が要求されてきたという事実があるのだろう。仮名書きは、たとえそれが漢字を使った万葉仮名方式であったとしても、やはり格式《かくしき》が一段低いものと認識され、それで国字が作られたと考えられる。

Ⅲ

国字作成の時期は一概《いちがい》にはいえないが、それではいったいどのような概念が、わざわざ国字を作ってまでも表現されたのであろうか。これに関して誰もがすぐに思いつく答えは、中国には存在しない事物である。漢字は表意文字であるから、現実に存在しない事物については文字が作成されない。

問5 「万葉仮名」とは、どのようなものか。

今の中国にはイワシの缶詰《かんづめ》が輸入されているので、現代の中国人がイワシを知らないわけではない。しかしその魚を今の中国語では「沙丁」と書き、shādīng と発音する。すなわち英語の sardine の音訳語《おんやくご》であって、イワシを表す専用の漢字はこれまでの中国では一度も作られたことがない。古くから「地大物博」(大地は広く、物産は豊富である)という言葉で形容される中国であるが、こと海産物《かいさんぶつ》に関してはいささか貧弱《ひんじゃく》であって、古代の中国人はおそらくイワシという魚を見たことがなかった。中国で古代の文化が栄《さか》えたのは黄河流域《こうがりゅういき》の内陸部《ないりくぶ》であり、これまでの時代では一生《いっしょう》涯《がい》海を見ることなしに世を去る人の方が圧倒的に多かった(それは今でも変わらない)。それに対して、わが国は四方《しほう》を海に囲《かこ》まれており、生活物資の多くを海から得てきた。中でも魚類は種類が非常に多く、資源としてもきわめて恵《めぐ》まれた状況にある。日本人が昔から食べてきた魚がすべて日本固有種《こゆうしゅ》というわけではもちろんないが、しかし中国大陸の食生活には登場しないものが多く、結果としてその魚を表す中国製の漢字が存在しない。かくして《魚》を偏《へん》とした大量の国字が制作された。ちまたでよく話題になる寿司屋《すしや》の大きな湯飲《ゆの》みに書かれる魚偏の漢字は、その大部分が国字であり、同様の現象が植物についても指摘できる。

　中国と日本とでは生活環境や文化の面で共通するものが多くあるが、同時に日本だけにしか存在しないものもあった。日中で共通するものについては、もちろん中

国で作られた漢字を輸入して、それで日本語を書き表してきたが、しかし日本固有 1
の事物や概念を表すには、中国製漢字だけではどうしようもなかった。それで、それを補《おぎな》うために、漢字の構成原理に従って新たに作った文字が国字、というわけである。

出典　『漢字のいい話』（大修館書店・二〇〇一年刊）

著者紹介　阿辻　哲次（あつじ　てつじ）

一九五一年、大阪府生まれ。漢字を中心とした中国文字文化史が専門。『漢字を楽しむ』（講談社現代新書）、『部首のはなし 漢字を解剖する』（中公新書）など、漢字に関する著書多数。

まとめ

1 なぜ国字を作る必要があったのか。

2 国字作成の方法には、どのようなものがあるか。

13

評論

足の表現力《ひょうげんりょく》

山口昌男《やまぐちまさお》

足の表現力を探ることで、日本の伝統芸能に言及している文章

足は長い間、人間生活にあっては、文楽《ぶんらく》*1の舞台における黒子《くろご》*2のごとき存在であった。特に文明化した社会において、*足を隠《かく》すことが文明の尺度《しゃくど》を表すもののように感じられたきらいさえあった。

多くの文化において、足は、人間にとって目に見えない部分になっている。人間が自分のイメージを理想化するほとんど普遍的《ふへんてき》な手段は、身体《からだ》を上・中・下に分けて、上を限りなく聖化《せいか》することにあった。人間は物事《ものごと》を対《つい》で考える傾向を持つ。この傾向は人体にもあてはまる。頭と足は対であり、足はどうしても下風《かふう》に立《た》たざるをえない。家屋《かおく》に例をとってみても屋根は頭部であり、床《ゆか》または床下が脚《あし》の部分にあたると考えられるのがふつうである。

このような足に対する蔑視《べっし》のゆえに、西欧では足を隠す。特に女性の場合には、この行為がエチケットの基礎になってしまった。目とか口とか手は、理性の言葉を

問1 「文楽の舞台における黒子のごとき存在」とは、どのような存在か。

問2 「足を隠すことが文明の尺度を表す」とあるが、なぜそうなったのか。

注1 文楽 操り人形浄瑠璃の芝居。

注2 黒子 文楽や歌舞伎で、黒い衣服や頭巾を着た後見。

注3 ボディー・ランゲージ body language

注4 第二帝政時代 フランス皇帝ナポレオ

直接に伝達することができるのに対して、足はそういった高貴《こうき》な役割を果たすことができないと考えられた。それは今日にいたるまで、「ボディー・ランゲージ」[3]、つまり、身体による表現の研究においても、足についての記述《きじゅつ》がほとんどないことからも察《さっ》することができる。足は単に支柱《しちゅう》であるというばかりでなく、性《せい》とか排泄《はいせつ》といった、人間が自らの生活において隠そうとする下半身《かはんしん》に属していることも、こうした足に対する偏見《へんけん》に大いに寄与《きよ》するところがあったものと思われる。

十九世紀フランスの第二帝政時代《だいにていせいじだい》[4]に足を蹴上《けあ》げて踊《おど》るカンカン踊り[5]が人々を驚嘆《きょうたん》させ、ジャック・オッフェンバック[6]の音楽とともに熱狂的《ねっきょうてき》に迎え入れられたのも、長い間ヨーロッパでは女性が足を見せるのははしたないことであると考えていたからである。映画では『嘆《なげ》きの天使《てんし》』[7]の中で、マレーネ・ディートリッヒ[8]が、スカートをまくり長い脚を見せるところがショッキングであるとともに新鮮な驚きをもたらした。今日、脚線美《きゃくせんび》などという言葉がふつうに使われていることから考えると驚くべきことであるが、そういった時代*が長く続いたのである。

しかしながら、映画の世界では、足に関して驚くべきこと*が起こった。一九三〇年代の初めころ、つまりサイレント・フィルム[9]の時代に、言葉よりも身体に大きくウエートがかかったために、足までが表情の媒体《ばいたい》となった。その傾向はチャップリン[10]*の初期の作品にも見られる。チャップリンの山高帽《やまたかぼう》、チョビ髭《ひげ》、よれよれのタキ

ン三世の時代。一八五二年から一八七〇年までを指す。

注5 カンカン踊り　十九世紀後半からパリで流行した踊り。

注6 ジャック・オッフェンバック (Jacques Offenbach, 1819～1880) フランスのオペレッタ作曲家。

注7 『嘆きの天使』　マレーネ・ディートリッヒ主演のトーキー映画第一作。

注8 マレーネ・ディートリッヒ (Marlene Dietrich, 1901～1992) アメリカの女優。ドイツ出身。

問3 「そういった時代」とはどのような時代か。

問4 「足に関して驚くべきこと」とは何か。また、なぜそのようなことが起こったのか。

注9 サイレント・フィルム (silent film) 無声映画。

注10 チャップリン (Charles Chaplin, 1889～1977) イギリスの映画俳優、監督。

シード、だぶだぶなズボンとともに大きな靴《くつ》は、サーカスの道化《どうけ》の服装の延長としてよく知られている。チャップリンはこの大きな靴をはいてスタスタと小刻《こきざ》みに歩くポーズで大いに受けた。興味深いのは、この小刻みに歩くポーズによって、チャップリンは、身体の動きの独特のリズムを作り上げたということになる。

こうした足の表現力を更に強く全面に押し出したのはバスター・キートン*11であった。キートンは足に緩急自在《かんきゅうじざい》のリズムを与えることができた。彼は大きな印象的な眼《め》をしていて、笑わない男として知られ、顔の表情はできるだけ抑《おさ》えたことで知られている。つまり、キートンは、西欧の伝統的な表現様式である上半身の表現を極《きょく》力《りょく》抑えたことになる。そのかわり、キートンは、驚いた時、不思議に思った時、怒った時、あわてた時といったようなさまざまの状態を足の動きによって表した。彼は多くの場合、ドジなカウボーイや、スポーツ選手などを演じて、足の流れもふつうの人のそれとは必ずしもそろわない。しかし、チャップリン同様、そのために、彼は彼でなくては作れないリズムを足で紡《つむ》ぎ出す。

考えようによっては、スペイン舞踊《ぶよう》の足のステップなどに、こうした足による演技の源流《げんりゅう》があるのかもしれない。とはいうものの、スペイン舞踊の足のステップは、拍子《ひょうし》、つまり、手でもカスタネットなどで紡ぎ出せる音を、足に代行《だいこう》させているという側面がある。*タップ・ダンスについてもほぼ同じようなことを言うことができ

問5　前述の「チャップリン」と「バスター・キートン」との表現の類似点、相違点は何か。

注11　バスター・キートン（Buster Keaton, 1895～1966）アメリカの映画俳優。

問6　「タップ・ダンスについてもほぼ同じようなことを言うことができる」とあるが、どういうことか。

るだろう。

この点*で、アジアの舞踊における足の利用には、もっと積極的な役割が与えられている。昨年(一九八一年)来日したインドのチャウ踊《おど》り[12]でも、足の激しいステップが演技の基礎になっていた。日本の場合には、能《のう》[13]や狂言《きょうげん》[14]、または神楽《かぐら》[15]において、強く足で拍子を取る演技を反閇《へんばい》と呼んで特に重要視している。反閇には、足で土地の精霊《せいれい》を踏み鎮《しず》める役割があるとふつう説明される。

この考え方*をもう少し説明すれば次のようになる*。つまり、日本の各地において、重要な神社や、政治勢力は、外来の神または征服者《せいふくしゃ》がやって来て、土地に前から棲《す》みついていた在来《ざいらい》の神や勢力者を鎮圧《ちんあつ》して確立されたとふつうには考えられている。多くの民俗儀礼《みんぞくぎれい》は、外来の神(天)による土地の精霊(地)の圧服《あっぷく》の行為を反復《はんぷく》するのであると考えられる。演者《えんじゃ》が足で強く舞台《ぶたい》または大地を踏むという行為は、表面的な意味においては抑えるということを意味するが、実際には、大地の精霊とのつながりを確保《かくほ》するという意味も含まれる。

愛知県《あいちけん》の奥三河《おくみかわ》[16]の花祭りは、山割鬼《やまわりおに》という鬼が出現して大地を踏むことが祭りの頂点になっている。鬼は土地の精霊のはずであるが、いつの間にか超人的《ちょうじんてき》な力の持ち主として祭りの中心的人物になり変わってしまった。この花祭りの踊りが行われる土間《どま》の天井《てんじょう》に、白開《びゃっかい》といって紙でしつらえられた蓋《ふた》状の飾りが吊《つ》り下げられてい

問7 「この点」とは、どのような点を言うか。

注12 チャウ踊り　「チョウ」とも。東インド地方に伝わる仮面舞踊。

注13 能　日本古典芸能の一種。「猿楽の能」の略称。

注14 狂言　「猿楽能」の滑稽部分の物真似《ものまね》の要素が発達した笑劇。

注15 神楽　神をまつるために、神前に奏する舞楽。

問8 「この考え方」とは、どのような考え方か。

問9 「次のようになる」とあるが、どのような説明になるか。

注16 奥三河の花祭り　「奥三河」は、現在の愛知県北東部。「花祭り」は、十一月～三月にかけて行う、収穫を祝い、豊作を祈る祭り。

る。これと反対に、土間の真ん中には竈《かまど》が設けられて湯気《ゆげ》が立ち上《のぼ》っている。竈はふつう大地または地下との接点と考えられる。であるから、祭りの場が征服者(白開=天・頭部)と被征服者(竈=地・脚)との二つの部分から成った身体のような立体《りったい》空間(トポス)[17]を形作っていると考えられる。

*このような空間で足で強く大地を踏みしめる行為は、ある意味では天と地をしっかりと結びつけるという結果をもたらすと考えられる。考えてみると、こうした行為だけは手では代行できない。ただ脚のみが行うことができるものである。こうした反閇が踊りのリズムの中に組み入れられる時、足が紡ぎ出すリズムは、人間の心理の表層《ひょうそう》部分だけでなく深層《しんそう》にもはたらきかけるという結果を生む。だから踊りにおいて反閇が上手に生かされると、それは人の魂《たましい》の底まで揺《ゆ》さぶることができるのである。能の[18]「道成寺《どうじょうじ》」などには、*そうした瞬間が突如《とつじょ》として現れて観客の心を奪《うば》ってしまう。つまり、*こうした状態においては、足は逆に頭部まで支配してしまうことになるのである。*こうした効果においてアジアの演劇や踊りは、西欧の一見洗練《せんれん》されたバレエの及ばない深い表現を行うことができる。

ここまで書いてきたら相撲《すもう》についてふれないわけにはいかないだろう。足を踏むことが、気づかないうちに我々のスポーツ観賞の視野の中に入ってきている例だからである。

注17 トポス (topos) ギリシャ語。

問10 「このような空間」とは、どのような空間か。

注18 道成寺 和歌山道成寺の安珍・清姫伝説を素材とした謡曲。

問11 「そうした瞬間」とは、どういう瞬間か。

問12 「こうした状態」とは、どういう状態か。

問13 「こうした効果」とは、どういう効果か。

相撲における横綱《よこづな》の土俵入《どひょうい》りが反閇の延長線上にあることは、民俗学者が等しく認めるところである。土俵入りと言わないまでも、四股《しこ》を踏むという行為の中にも、単に力をつけたり誇示《こじ》したりする以前に反閇という、あまりふつうは意識されていない意味が込められていることを、今日知る人は意外と少ない。

相撲は今日でも、さまざまな地方でいろいろな独立した形で民俗芸能として行われていることが多い。この場合、相撲は力のある者が土地の精霊を圧服する行為として説明される。時には独《ひと》り相撲《ずもう》というほとんど芸能と言ってよい演技が行われるが、この場合、目に見えない精霊を相手に演者は相撲をとると考えられる。ひるがえって、大相撲《おおずもう》における横綱の土俵入りを振り返ってみれば、[19]不知火《しらぬい》型であれ雲竜型であれ、それは、天と地の気を一身《いっしん》に集め渾然《こんぜん》と合一《ごういつ》させる演技であることが分かる。大地の気を吸《す》い上《あ》げるためには、*足の演技が不可欠の要素になる。

相撲について言えることは[20]歌舞伎《かぶき》について言うこともできる。歌舞伎の演技の中で[21]荒事《あらごと》と言われる演技においては、足で踏む演技が極めて重要なものになる。この足の構《かま》えを中心に踏む演技は六方《ろっぽう》と呼ばれる。六方の足の踏み方は、中世《ちゅうせい》、駕籠《かご》かきなど、力者《りきしゃ》と呼ばれる特別の霊力《れいりょく》の持ち主の集団の歩き方に始まったと言われるが、歌舞伎の舞台で六方《ろっぽう》が踏《ふ》まれる時、相撲における土俵入りと同様に、足が天と地の中心であり要《かなめ》であるという表現が行われているとみることができる。

注19 不知火型・雲竜型　横綱の土俵入りの二つの型。

問14 相撲における「足の演技」とは何か。

注20 歌舞伎　近世初期に発生、発達した日本固有の演劇。

注21 荒事　歌舞伎で扮装《ふんそう》と演技が象徴的に誇張された豪快な演出法。

問15 歌舞伎における「足の演技」とは何か。

このように時と場所によって表現力の強い足が、逆に、それを欠くことによって強い情緒《じょうちょ》を喚起《かんき》することができる。文楽の女人形が足がないということによって、女性が持つ情緒の深さがいっそう強く喚《よ》び起《お》こされるというのはその例である。そういえば、*日本の幽霊《ゆうれい》に足がないというのは、そうした欠性《けっせい》*による情緒表現の技術と関係があるのかもしれない。いずれにせよ、足はふつう意識にとどまらないだけに、それが意識にのぼる時、強烈《きょうれつ》な力を発揮《はっき》することだけは確かなようである。

問16 「その例」とあるが、何の例か。

問17 「日本の幽霊に足がない」のは、どのように説明できるか。

出典　『笑いと逸脱《いつだつ》』（筑摩書房・一九八四年刊）

（本文は「現代文」高等学校用教科書　平成二年度・東京書籍株式会社より転載）

著者紹介　山口　昌男（やまぐち　まさお）

一九三一年、北海道生まれ。文化人類学者。日本における文化人類学の権威。両性具有、トリックスターをテーマとした著作で有名。著書に、『「敗者」の精神史』（岩波書店）、『踊る大地球　フィールドワーク・スケッチ』（晶文社）など。

まとめ

1 自分の国の文化で「足の表現力」を使う例があるか。

日本の歌

京都の通りのわらべうた

東西の通り

丸太町（まるたまち）、竹屋町（たけやまち）、夷川（えびすがわ）、
二条（にじょう）、押小路（おしこうじ）、御池（おいけ）、
姉小路（あねこうじ）、三条（さんじょう）、六角（ろっかく）、
蛸薬師（たこやくし）、錦（にしき）、四条（しじょう）、
綾小路（あやこうじ）、仏光路（ぶっこうじ）、高辻（たかつじ）、
松原（まつばら）、万寿寺（まんじゅうじ）、五条（ごじょう）、
魚の棚（うおのたな）、六条（ろくじょう）、三哲（さんてつ）、
七条（ななじょう）、八条（はちじょう）、九条（くじょう）、
十条（じゅうじょう）、東寺（とうじ）

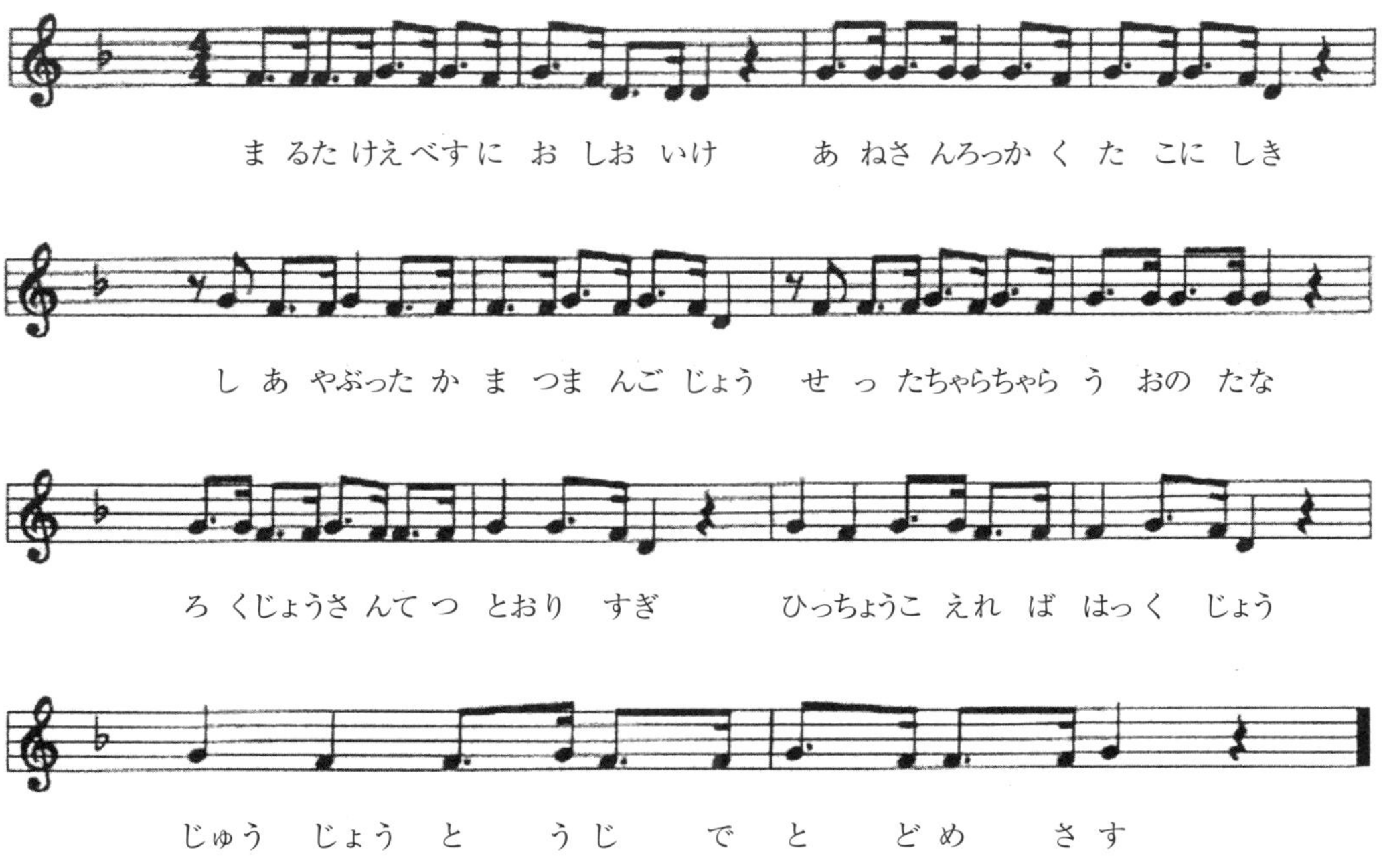
まるたけえべすに おしおいけ あねさんろっかくたこにしき
しあやぶったかまつまんごじょう せったちゃらちゃらうおのたな
ろくじょうさんてつとおりすぎ ひっちょうこえればはっくじょう
じゅうじょうとうじでとどめさす

14

エッセイ

ソムリエの妻

加《か》藤《とう》周《しゅう》一《いち》

9・11のアメリカ同時多発テロについて、独自の観点から考察した文章

[1]九月十一日からおよそ一ケ月の間、私は東京で[2]CNNをはじめTVの番組を見て、身のまわりの新聞雑誌の記事を読んでいた。それから私用と公用を兼《か》ねてドイツへ行き――航空機と空港はどこも空《す》いていた――、そこでもTVを見て新聞記事を読んだ。

その記事の中で私がいちばん感動したのは、崩《くず》れ落ちた[3]WTCの最上階の料亭《りょうてい》で働いていた――従って十一日に死んだ――[4]ソムリエの若い妻の話である。

その名前はわからない。TVで有名なバーバラ・ウォルターズ女史《じょし》が事件直後に行《おこな》った女たち――それぞれの家族や恋人や親友を失った女たちの会見番組の中に彼女がいて、自らの考えを話したということしかわからない。

*米国に居合《いあ》わせなかった私は、その番組を見なかった。ニュー・ヨークに住み、その番組を見て、その場面を実に活々《いきいき》と描き出した米国の小説家、アイリーン・ディッ

注1　九月十一日　二〇〇一年九月十一日、アメリカ合衆国において同時多発テロが起こる。

注2　CNN　Cable News Network　アメリカ合衆国のニュース専門有線テレビ。

注3　WTC　World Trade Center　アメリカ合衆国の世界貿易センター。二〇〇一年九月十一日、同時多発テロ事件によって消滅。

注4　ソムリエ　(sommelier) フランス語。レストランのワイン係のこと。

シュ(Irene Dische　一九五二―)という人の記事を、ドイツの週刊紙(Die Zeit, Sept, 20, 2001)のドイツ語訳で読んだにすぎない。

著者はまず、大惨事《だいさんじ》の最中にニュー・ヨークが*一種の理想郷《りそうきょう》になったといっている。市民は互いに助け合い、わが身の危険《きけん》を冒《おか》しても他人を救《すく》おうとした。ジュリアーニ市長は「戦争」とか「復讐《ふくしゅう》」とかいわず、「アメリカ」とか「神」とかいう言葉は一度も発《はっ》せず、ただニュー・ヨーク市が必要とすることを冷静に、厳《きび》しく、具体的に指示した。そう現場《げんば》の印象を語った後、ソムリエの妻の話になるのである。

彼女は、死んだ夫がアメリカ国民に伝えたかったことがある、という。「え、それは何ですか」とウォルターズ女史。彼女はカメラの方へ向きなおって、「復讐とか報《ほう》復《ふく》とかいうことを彼は必ず拒否《きょひ》するでしょう。彼は犯人と話したかった。その*死をさかさまにして、私たちが他の人間の血を流してはなりません」という(引用は大意《たいい》)。*ウォルターズ女史は驚き呆《あき》れて、それは一体どういう意味か、一方の頬《ほお》を打たれたら他方をさし出せとでもいうのか、と詰問《きつもん》する。その時ソムリエの妻は少しも騒がず、自分の立場を主張したという。「夫は話し合いが暴力よりも実《みの》り多《おお》いものだと信じていました。私たちはこのような犯罪がくり返されるのを防ぐように努めなければなりません。それには、私たちを憎む人々と共通の理解に達しなければならないのです」と。

問1　米国に居合わせなかった筆者は何を見て、この「ソムリエの妻」を書いたのか。

問2　「一種の理想郷」とは、どういうことか。

問3　「死をさかさまにして」とはどういう意味か。

問4　なぜウォルターズ女史は「驚き呆れ」たのか。

これは事件後しばらく経《た》ってからの話ではなく、当人がその夫を殺された直後の話である。犯罪者の動機《どうき》には憎悪《ぞうお》があり、その相手に対する感情的反応も当然憎悪にちがいない。しかし彼女の精神は、ただちに現場でその憎悪を超え、憎悪の表現としての暴力的報復よりも、問題を解決するための手段としての話し合いを択《えら》んだ。そこには人間精神の高貴《こうき》さがある。そこには自爆《じばく》テロを辞《じ》さない男たちの勇気を超える勇気があり、[5]星条旗《せいじょうき》を振《ふ》る群集《ぐんしゅう》と報復を呼号《こごう》する指導者に対して今はいない夫の信念《しんねん》を貫《つらぬ》こうとしてひるまない美しい魂《たましい》がある。

　ソムリエの妻は、おそらく一人ではあるまい。いや、たとえ一人でも彼女をその市民の一人に算《かぞ》えることのできるアメリカは、堂々として威厳《いげん》にみちている。九月十一日に夫を失った彼女は、*アメリカの名誉《めいよ》を救ったのだ。

　その後、政府高官《こうかん》の言説《げんせつ》や「メディア」の意見・分析・解説は、批判をも含めて、相次《あいつ》いだ。今では米国内に限っても、論点は出つくしたように見える。武力《ぶりょく》による「対テロリズム戦争」の批判をたとえば[6]『ワシントン・ポスト』紙は列挙《れっきょ》して反駁《はんばく》している(*International Herald Tribune*, Oct. 1, 2001 に転載《てんさい》)。

　第一、軍事力は一般市民を殺すという批判に対しては、戦争がより多くの米国人の死を防ぐための唯一《ゆいいつ》の手段ならばやむを得ないという。

　第二、テロリズムの原因は貧困《ひんこん》と絶望《ぜつぼう》だという批判に対しては、その対策は軍事

注5　星条旗
アメリカ合衆国の国旗。

問5　なぜ「彼女」が「アメリカの名誉を救った」のか。

注6　『ワシントン・ポスト』
The Washington Post
アメリカ合衆国の代表的な新聞。

力の代替《だいたい》にはならない、と答える。

第三、法的処理と裁判を求める批判には、それは今まで有効でなかったと主張する。

第四、暴力の悪循環《あくじゅんかん》説に対しては、[7]最初のWTC爆破以来、[8]東アフリカの米国大使館攻撃《こうげき》や[9]イエメンでの[10]軍艦コール攻撃などを挙げ、それはすでに始まっていることだとする。

しかしこのような反論《はんろん》は、それぞれ一面《いちめん》の事実を指摘するだけで、十分には説得《せっとく》的でないと思う。

たとえば法的な批判に対して、法的処理が今まで有効でなかったとする議論は、有効性と法の尊厳《そんげん》との関係については触れていない。有効でないから法を無視してよいとはいえないだろう。またテロリズム制圧《せいあつ》の手段としての軍事行動の有効性も説明していない。

今ここでは各論点への反論を検討《けんとう》することができないので、一般的な印象についてだけいえば、軍事行動の目的が「報復」であるのか、「テロ防止」であるのか、明《めい》瞭《りょう》でない(これは概念《がいねん》的混乱である)。また実質的に重要な点、対米テロリズムの原因が、反米感情にあるとして、反米感情がなぜかくも広く深くつくり出されたかの理由が明らかにされていない。それは到底「貧困」と「絶望」で片づけられるほど

注7 最初のWTC爆破　一九九三年の事件。

注8 東アフリカの米国大使館攻撃　一九九八年、ケニアの米大使館爆撃事件。約三〇〇人殺害。

注9 イエメン　イエメン—アラブ共和国の略。

注10 軍艦コール攻撃　二〇〇〇年、米軍艦「コール」を攻撃。

簡単ではないだろう。

今米国の巨大《きょだい》な武力を疑う者はどこにもいない。またその経済的・知的領域《りょういき》での優越《ゆうえつ》にも疑いの余地《よち》はない。唯一《ゆいいつ》の超大国《ちょうたいこく》は虚名《きょめい》ではない。しかし超大国には、小国にとってよりも、大きな道義的《どうぎてき》責任、殊《こと》に軍事力の行使《こうし》を自制《じせい》する責任があるだろう。その自制が十分でないと感ずる時 —— どういう宗教とも、経済的貧困とも関係なく、多《おお》かれ少《すく》なかれ反米感情が生じるのは、不思議ではない。もちろん多くの場合にテロリズムは生じないだろうが、テロリズムが生じることもあり得るのだ……。

出典　『夕陽妄語Ⅶ』（朝日新聞社・二〇〇四年刊）

著者紹介　加藤　周一（かとう　しゅういち）
一九一九年、東京都生まれ。評論家、作家、医学博士。『雑種文化 日本の小さな希望』（講談社）、『読書術』（岩波現代文庫）、『羊の歌 わが回想』（岩波新書）など、著書多数。

まとめ

1 「ソムリエの妻」は、米国にとってどういう存在だったか。

2 筆者は「武力による対テロリズム戦争」について、どう考えているか。

コラム

きく

永保《ながほ》 澄雄《すみお》

夏の間中《あいだじゅう》、山鳩《やまばと》の声で目を覚《さ》ました。まだ覚めやらぬ頭の中で山鳩が眠そうに鳴いている。次第に鳴く音が大きくなり、やがてはっきりと耳に届く。声はいつも窓のそばの、メタセコイアの枝《えだ》から落ちて来る。東山《ひがしやま》が近いので、そこから飛来《ひらい》してくるのであろうか。家からは五《ご》山《ざん》の送《おく》り火《び》で知られる大文字山《だいもんじやま》が指呼《しこ》の間《かん》にある。その山を眺めながら駅までの道を急いでいる時、山鳩の声が耳に入ることがある。その声を聞いて、おや鳴いているなと思うのであるが、ほとんどは、鳴いていても聞いていないことが多いはずである。心がせわしい時には鳥の声など入りはすまい。

それで思い出したことがある。20年前に勤めていた大学でこういうことがあった。その学生は、新しく買った駒下駄《こまげた》を学校まで履《は》いて来て、授業中教師の私に見せてくれたりする不思議な女の子であったので、彼女が遅刻《ちこく》したり欠席したりするとすぐそれと知れた。ある時期よく遅刻したので彼女の友達に聞いたら電車は同じだったと言う。駅から学校までの道筋《みちすじ》に木犀《もくせい》が薫《かお》っていると彼女はその下で立ち止まってしまうらしい。それで私は彼女の遅刻は叱《しか》らないことにした。今彼女は母親になっているが、彼女の子供たちは幸せであると思う。ついでながら聞香《ぶんこう》ということばがあるように香もきくものであって、かぐ方は古くなった肉の場合とか、犬の作法《さほう》にとどめたい。

否応《いやおう》無《な》しにいつも聞かされるものに人の声がある。授業などで教師の声がかんだかかったり、間合いがつまっていたりするとそれだけで頭も体も疲れてしまう。反対に、声を聞くだけでも楽しいという授業にはなかなかめぐり会えない。

課長が電話を受けていると、自然に手が止まるという女の子がいた。ついその声に聞き惚《ほ》れてしまうと言うのである。その課長は私もよく知っている人で、彼はその時も良い仕事をしていた。その後部長に栄進《えいしん》している。茫洋《ぼうよう》とした人物で、いわゆる切《き》れ者《もの》といった感じはなくむしろ平凡にみえた。声もそれにふさわしい穏《おだ》やかなもので、気にとめたことは無かったが、言われてみればたしかに良い声である。企《たくら》みの無い自然な声でぼわんぼわんとした暖かいひびきがある。なるほどと思い、その女の子を前よりも違った目で見るようになった。この人も良い母親になっている。若い人とは恐ろしいものである。私もいたずらに年ばかり取ってはいられない。

（日本語教育）

15 エッセイ

自然という書物《しょもつ》

志村《しむら》ふくみ

染織家の立場から、「第三の色」である「緑」を通して、自然の偉大さを述べた文章

自然はどこかに人を引きつける蜜《みつ》のようなもの、毒《どく》のようなものを、あの蜘蛛《くも》の巣《す》の美しい網《あみ》のようにひろげていて、私はそこに引《ひ》っかかり穴《あな》から落ちたアリス*1のようなものだった。その入口は緑《みどり》である。

植物の緑、その緑がなぜか染《そ》まらない。あの瑞々《みずみず》しい緑の葉《は》っぱを絞《しぼ》って白い糸に染めようとしても緑は数刻《すうこく》にして消えてゆく。どこへ――。この緑の秘密《ひみつ》が私を色彩《しきさい》世界へ導《みちび》いていった。

原則《げんそく》としては、花から色は染まらない。というのは、あの美しい花の色はすでにこの世に出てしまった色なのである。植物はその周期《しゅうき》によって色の質がちがう。たとえば桜《さくら》は花の咲く前に幹《みき》全体に貯《たくわ》えた色をこちらがいただくのである。花が咲いたり実《み》がみのったりしたあとでは色の生気《せいき》がちがう。葉、幹、根《ね》、実は、それぞれ色の主張をもっている。そのほか謎《なぞ》は限りなくちりばめられているけれど、その中

問1 「穴から落ちたアリスのようなもの」とはどういうことか。

注1 アリス　ルイス・キャロル作『不思議の国のアリス』の主人公。

で一貫《いっかん》して思うことは、宇宙の運行《うんこう》、自然の法則《ほうそく》があらゆるものの細部《さいぶ》にまで浸透し、その生命を司《つかさど》っているということだった。仕事をはじめて十年余《あま》り、徐々《じょじょ》に膨《ふく》らむ謎の奥《おく》に何か足がかりが欲しい、私が何故《なぜ》か、と思うことに答えてほしいと絶えず求めていた。

そんな時、出会ったのがゲーテ*2の「色彩論」だった。『自然と象徴《しょうちょう》』(冨山房百科文《ふざんぼうひゃっかぶん》庫《こ》 一九八二年)によって謎が次々に解《と》けるばかりではなく、今まで私が漠然《ばくぜん》と求めていた感覚の世界に的確《てきかく》な足がかりがあたえられたのである。含蓄《がんちく》ある一点《いってん》、導きの糸は、そこからするすると紐《ひも》が解けるように私を色彩世界の扉《とびら》へと導いてくれた。

緑の戸口《とぐち》には次のように書かれていた。

「光のすぐそばにわれわれが黄《き》と呼ぶ色彩があらわれ、闇《やみ》のすぐそばには青という言葉で表される色彩があらわれる。この黄と青とが最も純粋《じゅんすい》な状態で、完全に均衡《きんこう》を保《たも》つように混合されると、緑と呼ばれる第三の色彩が出現する」　(『色彩論』序)

緑*は第三の色なのである。直接植物の緑から緑はでないはずである。

闇と光がこの地上に生み出した最初の色、緑、生命の色、嬰児《みどりご》である。一度この世に出現した植物の緑は、次の次元《じげん》へ移行しつつある生命現象《げんしょう》のひとつである。一

問2 ゲーテの「色彩論」は、筆者にとってどのようなものか。

注2 (ヨハン・ヴォルフガング・フォン・)ゲーテ (Johan Wolfgang von Goethe) ドイツの詩人・小説家・劇作家。『若きウェルテルの悩み』、『ファウスト』など。

問3 「緑は第三の色なのである」とあるが、ここでいう「第三」とはどういうことか。

度まわりだしたフィルムをまきかえすことはできない。あの植物の緑は人間と同じようにこの地上に受肉《じゅにく》した色なのである。それならば植物によっていかに緑を染め出すことができるだろうか。

藍《あい》という植物を刈取《かりと》り、発酵《はっこう》させ、乾燥《かんそう》させて蒅《すくも》という状態にしたものを、甕《かめ》に入れ、木灰汁《あく》、石灰《せっかい》、酒等々《とうとう》で再び発酵させ、藍という染料《せんりょう》を仕上《しあ》げてゆくことは、一つの芸《げい》といわれるほど難しいとされている。見事《みごと》に藍《あい》が建《た》ち（発酵し生命を宿《やど》すこと）染められる状態になった時、白い糸を甕の中につけて、数分後空気中に引き上げて絞り切った時、この世《よ》ならぬ美しい緑（エメラルド・グリーン）が出現する。併《しか》し数秒にして消える。緑は逃げてゆく。そのあとに空気にふれた部分から青色があらわれる。瞬間《しゅんかん》にして消えるあの緑を、人は「なに酸化《さんか》しただけじゃないか」と言うかもしれない。併《しか》し、その瞬間をこの目でしっかりと見届《みとど》けたあの緑こそ、自然が秘密を打《う》ち明《あ》けてくれた瞬間なのである。消えてゆくものに自然は深い真実を宿している。闇に最も近い青は、あの藍甕《あいがめ》のなかから誕生した。光に最も近い黄は、山野《さんや》で充分《じゅうぶん》太陽の光を浴《あ》びて育った植物、刈安《かりやす》、黄蘗《きはだ》、支子《くちなし》、楊梅《ようばい》等々で染められる。その黄色の糸を藍甕につける。闇と光の混合である。そして輝《かがや》くばかりの美しい緑を得るのである。

こうして、われわれは仕事のうちに期《き》せずしてゲーテの色彩論の実践《じっせん》、自然の開《かい》示《じ》をうけている。にもかかわらず、現実に目で見るということには三つの問題があると思う。一つは目にみえる現象は現象として何の疑いもなく*当然《あたりまえ》のこととして無意識に受け入れる。もう一つは分析《ぶんせき》し、観察《かんさつ》し、量《りょう》の世界におきかえる近代科学の道、そしてもう一つはこの目でみたものを、なぜか、いかにしてこうなったのかと一つの理念《りねん》にむけて思考《しこう》する道である。私はゲーテの色彩論に出会うまで、この目でみた現象を、たとえ幻《まぼろし》のごとく消え去ったとしても、なぜその姿をあらわしたのか、それを神秘《しんぴ》としてヴェールの奥にしまいこむしかなかったのである。

「宇宙を、その最も大きく拡張《かくちょう》した姿や、もはやこれ以上分割《ぶんかつ》しえないほど小さな姿において観察してみると、全体の根底《こんてい》に一つの理念があり、それにもとづいて神は自然のなかで、自然は神のなかで、永劫《えいごう》の過去から永劫の未来へと創造《そうぞう》し、活動しているものだという考えをわれわれは斥《しりぞ》けることができない。直観《ちょっかん》し、観察し、熟考《じゅっこう》することによって、われわれは宇宙の秘密に近づくことができる」

（方法論〈理念と経験〉）

私は直観し、観察し、熟考することによって、自然の本質が生き生きと存在し、絶えず[3]メタモルフォーゼしている、そしてその根底《こんてい》に一つの理念が存在することを、

問4 「三つ」とは何か。

注3 メタモルフォーゼ（Metamorphose）ドイツ語。変形、変身。

少しずつ理解するようになった。色彩は従来《じゅうらい》考えていたような単なる色ではなく、自然界の光と、人間の精神とが*相寄《あいよ》ったときに顕現《けんげん》する宇宙のメッセージであり、光の行為《こうい》と受苦《じゅく》であることを伝えられた。

ゲーテは、もし自分が自然科学を研究しなかったらこれほど純粋な直観や思考の世界が開《ひら》けることはなかっただろうといっている。彼の学問は、形態学《けいたいがく》をはじめ、動物、植物、鉱物《こうぶつ》と幅広《はばひろ》く、とくに植物に関しては、植物の方からゲーテを追いかけて止《や》まぬほど彼の魂《たましい》の中に*入《はい》り込《こ》み、最も単純な形としての原植物《げんしょくぶつ》を産《う》み出したのである。自然は嘘《うそ》をつかずこの上なく正直《しょうじき》で、過失《かしつ》や誤《あやま》りをおかすのはつねに人間である。ただしひたすら自然にむかってその神性《しんせい》に触《ふ》れようと願うものには、胸を開いて秘密を打ち明けてくれるという。ゲーテがいかに自然という書物を熟読《じゅくどく》し、その一頁一行《いっぺーじいちぎょう》に隠《かく》された真実を受けとめてわれわれに提示《ていじ》してくれたことだろう。

四十余《よ》年前、美しい網に引っかかり、アリスの穴からころげ落ちたとき、小さな書物が落ちていたのだろう。それを取りあげて読むうち、本は次第《しだい》に大きくなり、宇宙ほどに大きくなった。豆粒《まめつぶ》ほどの私はその一頁も読めないけれど、それは驚《おどろ》きに満《み》ち、目をみはらせる自然という書物だった。

（一九九九年十二月）

問5　「色彩」とは、どのようなものだと筆者は言っているか。

問6　「とくに植物に関しては……原植物を産み出したのである」とあるが、どういうことか。

出典　『ちよう、はたり』（筑摩書房・二〇〇三年刊）

著者紹介　志村　ふくみ（しむら　ふくみ）

一九二四年、滋賀県生まれ。染織家。一九五五年、植物染料による染色を始める。重要無形文化財「紬織」保持者。一九九三年、文化功労者。

まとめ

1 筆者は、なぜ「自然」を「書物」と言っているのか。

鼻《はな》

芥川《あくたがわ》龍之介《りゅうのすけ》

鼻を通して、傍観者の利己主義や「聖と俗」までをも表現した短篇

[1]*禅智内供《ぜんちないぐ》の鼻といえば、[2]池《いけ》の尾《お》で知らない者はない。長さは五、六寸《すん》あって、上《うわ》唇《くちびる》の上から顎《あご》の下まで下がっている。形は元《もと》も先《さき》も同じように太い。いわば、細長い腸詰《ちょうづ》めのようなものが、ぶらりと顔の真ん中からぶら下がっているのである。

五十歳を越えた内供は、[3]沙彌《しゃみ》の昔から内道場供奉《ないどうじょうぐぶ》の職に昇《のぼ》った今日《こんにち》まで、内心《ないしん》では始終《しじゅう》この鼻を苦《く》に病《や》んでいた。もちろん表面では、今でもさほど気にならないような顔をして澄《す》ましている。これは専念《せんねん》に[4]当来《とうらい》の浄土《じょうど》を[5]渇仰《かつごう》すべき僧侶《そうりょ》の身で、鼻の心配をするのが悪いと思ったからばかりではない。それよりむしろ、自分で鼻を気にしているということを、人に知られるのが嫌《いや》だったからである。内供は日常の談話の中に、鼻という語が出てくるのを何よりも恐れていた。

内供が鼻を持《も》て余《あま》した理由は二つある。――一つは実際的に、鼻の長いのが不便だったからである。だいいち飯を食うときにも独《ひと》りでは食えない。独りで食えば、

問1 「禅智内供」の年齢、地位はどれくらいか。

注1 禅智内供　「内供」は「内道場供《ないどうじょうぐ》奉僧《ぶそう》」の略。宮中の内《ない》道場《どうじょう》に奉仕する智徳兼備の僧。

注2 池の尾　現在の京都府宇治市の地名。

注3 沙彌　仏門に入ったばかりで、まだ修行の浅い少年僧。

注4 当来　来世。未来。

注5 渇仰する　深く信仰する。

鼻の先が[6]鋺《かなまり》の中の飯《めし》へ届いてしまう。そこで内供は弟子の一人を膳《ぜん》の向こうへ座らせて、飯を食う間じゅう、広さ一寸長さ二尺《しゃく》ばかりの板で、鼻を持ち上げていてもらうことにした。しかしこうして飯を食うということは、持ち上げている弟子にとっても、持ち上げられている内供にとっても、決して容易なことではない。一度この弟子の代わりをした[7]中童子《ちゅうどうじ》が、[8]くさめをした拍子《ひょうし》に手が震《ふる》えて、鼻を粥《かゆ》の中へ落とした話は、当時京都まで[9]喧伝《けんでん》された。――けれどもこれは内供にとって、決して鼻を苦に病んだ主な理由ではない。内供は実にこの鼻によって傷つけられる*自尊心《じそんしん》のために苦しんだのである。

【中略】

ところがある年の秋、内供の用を兼《か》ねて、京へ上った弟子《でし》の僧が、知るべの医師から長い鼻を短くする法を教わってきた。その医者というのは、もと[10]震旦《しんたん》から渡ってきた男で、当時は[11]長楽寺《ちょうらくじ》の[12]供僧《ぐそう》になっていたのである。

内供は、いつものように、鼻などは気にかけないというふうをして、わざとその法もすぐにやってみようとは言わずにいた。そうして一方では、気軽《きがる》な口調《くちょう》で、食事の度ごとに、弟子の手数《てすう》を掛《か》けるのが、心苦《こころぐる》しいというようなことを言った。内

注6 鋺 金属製の椀《わん》。

注7 中童子 僧になるための修行の傍ら、給仕などに従事した十二、三歳の少年。

注8 くさめ くしゃみのこと。

注9 喧伝する 盛んに言いふらす。

問2 内供の「自尊心」とは何か。

注10 震旦 中国の古称。

注11 長楽寺 京都市東山区の円山公園内にある長楽寺のことか。

注12 供僧 「供奉僧《ぐぶそう》」の略。

心ではもちろん弟子の僧が、自分を説《と》き伏《ふ》せて、この法を試みさせるのを待っていたのである。弟子の僧にも、内供のこの策略《さくりゃく》がわからないはずはない。しかしそれに対する反感《はんかん》よりは、内供のそういう策略をとる心持《こころも》ちのほうが、より強くこの弟子の僧の同情を動かしたのであろう。弟子の僧は、＊内供の予期どおり、口を極《きわ》めて、この法を試みることを勧《すす》めだした。そうして、内供自身もまたその予期どおり、結局この熱心な勧告《かんこく》に[13]聴従《ちょうじゅう》することになった。

その法というのは、ただ、湯で鼻をゆでて、その鼻を人に踏ませるという、極めて簡単なものであった。

湯は寺の湯屋《ゆや》で、毎日沸《わ》かしている。そこで弟子の僧は、指も入れられないような熱い湯を、すぐに[14]提《ひさげ》に入れて、湯屋からくんできた。しかしじかにこの提へ鼻を入れるとなると、湯気《ゆげ》に吹《ふ》かれて顔をやけどする恐れがある。そこで[15]折敷《おしき》へ穴を空けて、それを提のふたにして、その穴から鼻を湯の中へ入れることにした。鼻だけはこの熱い湯の中へ浸《ひた》しても、少しも熱くないのである。しばらくすると弟子の僧が言った。

――もうゆだった時分《じぶん》でござろう。

内供は苦笑した。これだけ聞いたのでは、だれも鼻の話とは気が付かないだろうと思ったからである。鼻は熱湯《ねっとう》に蒸《む》されて、蚤《のみ》の食ったようにむずがゆい。

問3 「内供の予期」とは、どのような予期か。

注13 聴従する　聞き入れ従う。

注14 提　つると注ぎ口のついた銚子《ちょうし》。

注15 折敷　片木《へぎ》（薄く削った板）を折り曲げてふちにして作った角盆。

弟子の僧は、内供が折敷の穴から鼻を抜くと、そのまだ湯気の立っている鼻を、両足に力を入れながら、踏み始めた。内供は横になって、鼻を床板《ゆかいた》の上へ伸ばしながら、弟子の僧の足が上下《うえした》に動くのを目の前に見ているのである。弟子の僧は、時々気の毒そうな顔をして、内供のはげ頭を見下ろしながら、こんなことを言った。

——痛《いと》うはござらぬかな。医師は責《せ》めて踏めと申したで。じゃが、痛うはござらぬかな。

内供は、首を振って、痛くないという意味を示そうとした。ところが鼻を踏まれているので思うように首が動かない。そこで、上目《うわめ》を使って、弟子の僧の足にあかぎれの切れているのを眺めながら、腹を立てたような声で、

——痛うはないて。

と答えた。実際鼻はむずがゆい所を踏まれるので、痛いよりもかえって気持ちのいいくらいだったのである。

しばらく踏んでいると、やがて、粟粒《あわつぶ》のようなものが、鼻へでき始めた。いわば毛をむしった小鳥をそっくり丸焼《まるや》きにしたような形である。弟子の僧はこれを見ると、足を止めて独り言のようにこう言った。

——これを毛抜《けぬ》きで抜けと申すことでござった。

内供は、不足らしく頰《ほお》を膨《ふく》らせて、黙って弟子の僧のするなりに任せておいた。

もちろん弟子の僧の親切が分からないわけではない。それは分かっても、自分の鼻をまるで物品《ぶっぴん》のように取り扱うのが、不愉快《ふゆかい》に思われたからである。内供は、信用しない医者の手術を受ける患者《かんじゃ》のような顔をして、不承不承《ふしょうぶしょう》に弟子の僧が、鼻の毛《け》穴《あな》から毛抜きで脂《あぶら》をとるのを眺めていた。脂は、鳥の羽の茎《くき》のような形をして、[16]四《し》分《ぶ》ばかりの長さに抜けるのである。

やがてこれが一《ひと》とおり済むと、弟子の僧は、ほっと一息《ひといき》ついたような顔をして、

——もう一度、これをゆでればようござる。

と言った。

内供はやはり、八《はち》の字《じ》を寄せたまま*不服《ふふく》らしい顔をして、弟子の僧の言うなりになっていた。

さて二度目にゆでた鼻を出してみると、なるほど、いつになく短くなっている。これでは当たり前のかぎ鼻《ばな》と大した変わりはない。内供はその短くなった鼻をなでながら、弟子の僧の出してくれる鏡《かがみ》を、きまりが悪そうにおずおずのぞいてみた。

鼻は——あの顎の下まで下がっていた鼻は、ほとんどうそのように萎縮《いしゅく》して、今はわずかに上唇の上で意気地《いくじ》なく[17]残喘《ざんぜん》を保っている。所々まだらに赤くなっているのは、恐らく踏まれたときの跡《あと》であろう。こうなれば、もうだれも笑う者はないのに違いない。——鏡の中にある内供の顔は、鏡の外にある内供の顔を見て、満足

注16　四分　「分」は長さの単位。一分は一寸の十分の一で、約三ミリメートル。

問4　「不服らしい顔」とあるが、内供の心理はどのようなものか。

注17　残喘　残り少ない余命。

そうに目をしばたたいた。

　しかし、その日はまだ一日、鼻がまた長くなりはしないかという不安があった。そこで内供は誦経《ずきょう》するときにも、食事をするときにも、暇さえあれば手を出して、そっと鼻の先に触ってみた。が、鼻は行儀《ぎょうぎ》よく唇の上に納《おさ》まっているだけで、格別《かくべつ》それより下へぶら下がってくる気色《けしき》もない。それから一晩寝て、明くる日早く目覚めると内供はまず、第一に、自分の鼻をなでてみた。鼻は依然《いぜん》として短い。内供はそこで、幾年《いくねん》にもなく、法華経書写《ほけきょうしょしゃ》[18]の功《こう》を積《つ》んだときのような、伸《の》び伸《の》びした気分になった。

　ところが二、三日たつうちに、内供は意外な事実を発見した。それは折《おり》から、用事があって、池の尾の寺を訪れた侍《さむらい》[19]が、前よりもいっそうおかしそうな顔をして、話もろくろくせずに、じろじろ内供の鼻ばかり眺めていたことである。それのみならず、かつて、内供の鼻を粥の中へ落としたことのある中童子なぞは、講堂《こうどう》[20]の外で内供と行《い》き違《ちが》ったときに、初めは、下を向いておかしさをこらえていたが、とうとうこらえかねたとみえて、一度にふっと吹《ふ》き出《だ》してしまった。用を言いつかった下法《しもほう》師《し》[21]たちが、面と向かっている間だけは、慎《つつし》んで聞いていても、内供が後ろさえ向けば、すぐにくすくす笑いだしたのは、一度や二度のことではない。

　内供は初め、これを自分の顔変わりがしたせいだと解釈した。しかしどうもこの解釈だけでは十分に説明がつかないようである。——もちろん、中童子や下法師が

注18　法華経　「妙法蓮華経《みょうほうれんげきょう》」の略。仏教の重要経典の一つ。

注19　侍　ここでは、公家に仕え、雑務に従事する者。

注20　講堂　説教や講義をする堂。

注21　下法師　雑役などに従事する身分の低い僧。

笑う原因は、そこにあるのに違いない。けれども同じ笑うにしても、鼻の長かった昔とは、笑うのにどことなく様子が違う。見慣れた長い鼻より、見慣れない短い鼻のほうが滑稽《こっけい》に見えると言えば、それまでである。が、そこにはまだ何かあるらしい。

――前にはあのようにつけつけとは笑わなんだて。

内供は、誦《ず》しかけた経文《きょうもん》をやめて、はげ頭を傾けながら、時々こうつぶやくことがあった。愛すべき内供は、そういうときになると、必ずぼんやり、そばにかけた[22]普賢《ふげん》の画像を眺めながら、鼻の長かった四、五日前のことを思い出して、「今はむげにいやしくなりさがれる人の、さかえたる昔をしのぶがごとく」*ふさぎ込んでしまうのである。――内供には、遺憾《いかん》ながら*この問いに答えを与える*明《めい》が欠けていた。

――人間の心には互いに矛盾《むじゅん》した二つの感情がある。もちろん、だれでも他人の不幸に同情しない者はない。ところがその人がその不幸を、どうにかして切り抜けることができると、今度はこっちでなんとなく物足《ものた》りないような心持ちがする。少し誇張《こちょう》して言えば、もう一度その人を、同じ不幸に陥《おとしい》れてみたいような気にさえなる。そうしていつの間にか、消極的ではあるが、ある敵意《てきい》をその人に対して抱《いだ》くようなことになる。――内供が、理由を知らないながらも、なんとなく不快《ふかい》に思ったのは、池の尾の僧俗《そうぞく》の態度に、この*傍観者《ぼうかんしゃ》の利己主義《りこしゅぎ》をそれとなく感づいたからにほかならない。

注22 普賢 「普賢菩薩」の略。白象に乗り、釈迦の脇士《きょうじ》（本尊の左右にはべっている仏像）として、慈悲をつかさどる。

問5 どういう様子で「ふさぎ込んでしまう」のか。

問6 「この問い」とは何か。

問7 この場合、「明が欠けていた」とはどういうことか。

問8 「傍観者の利己主義」とは、どのようなものか。

そこで内供は日ごとに機嫌《きげん》が悪くなった。二言目《ふたことめ》には、だれでも意地悪《いじわる》くしかりつける。しまいには鼻の療治《りょうじ》をしたあの弟子の僧でさえ、「内供は[23]法慳貪《ほうけんどん》の罪を受けられるぞ。」と陰口《かげぐち》をきくほどになった。殊《こと》に内供を怒らせたのは、例のいたずらな中童子である。ある日、けたたましく犬のほえる声がするので、内供は何気《なにげ》なく外へ出てみると、中童子は、二尺ばかりの木のきれを振《ふ》り回《まわ》して、毛の長い、やせたむく犬を追《お》い回《まわ》している。それもただ、追い回しているのではない。「鼻を[24]打たれまい。それ、鼻を打たれまい。」とはやしながら追い回しているのである。内供は、中童子の手からその木のきれをひったくって、したたかその顔を打った。木のきれは以前の[25]鼻もたげの木だったのである。

内供は[26]*なまじいに、鼻の短くなったのが、かえって恨《うら》めしくなった。

するとある夜のことである。日が暮れてから急に風が出たとみえて、塔《とう》の[27]風鐸《ふうたく》の鳴る音が、うるさいほど枕《まくら》に通ってきた。そのうえ、寒さもめっきり加わったので、老年の内供は寝つこうとしても寝つかれない。そこで床《とこ》の中でまじまじしていると、ふと鼻がいつになく、むずがゆいのに気が付いた。手を当ててみると少し[28]水気《すいき》がきたようにむくんでいる。どうやらそこだけ、熱さえもあるらしい。

——無理に短《みじこ》うしたで、病が起こったのかもしれぬ。

内供は、仏前《ぶつぜん》に香華《こうげ》を供《そな》えるような恭《うやうや》しい手つきで、鼻を押さえながら、こうつ

注23 法慳貪の罪　仏法を教える労を惜しむ罪。ここでは、意地悪くしかりつけることにより受ける罪をいう。

注24 打たれまい　打たれるな。「まい」は禁止の意を表す助動詞。

注25 鼻もたげの木　鼻をもちあげた木。

問9 「なまじいに、鼻の短くなった」とあるが、どういうことか。

注26 なまじい　なまじ

注27 風鐸　寺塔の四隅につるされている青銅製の鐘形の鈴。

注28 水気　水腫。

ぶやいた。

翌朝、内供がいつものように早く目を覚ましてみると、寺内《じない》の銀杏《いちょう》や橡《とち》が、一晩のうちに葉を落としたので、庭は黄金《きん》を敷《し》いたように明るい。塔の屋根には霜《しも》が降りているせいであろう。まだ薄い朝日に、[29]九輪《くりん》がまばゆく光っている。禅智内供は、[30]蔀《しとみ》を上げた縁《えん》に立って、深く息を吸い込んだ。

ほとんど、忘れようとしていたある感覚が、再び内供に帰ってきたのはこのときである。

内供は慌《あわ》てて鼻へ手をやった。手に触るものは、ゆうべの短い鼻ではない。上唇の上から顎の下まで、五、六寸余りもぶら下がっている、昔の長い鼻である。内供は鼻が一夜のうちに、また元のとおり長くなったのを知った。そうしてそれと同時に、鼻が短くなったときと同じような、*晴《は》れ晴《ば》れした心持ちが、どこからともなく帰ってくるのを感じた。

――こうなれば、もうだれも笑う者はないに違いない。

内供は心の中でこう自分にささやいた。長い鼻を明け方の秋風にぶらつかせながら。

注29　九輪　塔の最上層の屋根の頂上にある高い柱の装飾。九つの輪が重なった形をしているのでその名がある。

注30　蔀　日光や風雨を防ぐため、格子の裏に板を張った戸。

問10　なぜ「晴れ晴れした心持ち」になるのか。

出典　『芥川龍之介小説集一』（岩波書店・一九八七年刊）

著者紹介　芥川　龍之介（あくたがわ　りゅうのすけ）
一八九二～一九二七年。東京都生まれ。小説家。その名を冠した文学賞に芥川賞がある。年二回、すぐれた純文学の作品を発表した新人作家に贈られる。

まとめ

1 内供はどのような人物か。

2 この「鼻」を通して、作者が描こうとしたものは何か。

17 小説

檸檬《れもん》

退廃を通奏低音とし、独特の美的感覚を文章にのせた短編

梶《かじ》井《い》基《もと》次《じ》郎《ろう》

えたいの知れない不吉《ふきつ》な塊《かたまり》が私の心を始終《しじゅう》おさえつけていた。焦燥《しょうそう》といおうか、嫌悪《けんお》といおうか――酒を飲んだあとに*宿酔《ふつかよい》があるように、酒を毎日飲んでいると宿酔に相当した時期がやってくる。それがきたのだ。これはちょっといけなかった。結果した肺尖《はいせん》カタル[1]や神経衰弱《しんけいすいじゃく》がいけないのではない。また背を焼くような借金《しゃっきん》などがいけないのではない。いけないのはその不吉な塊だ。以前私を喜ばせたどんな美しい音楽も、どんな美しい詩の一節《いっせつ》も辛抱《しんぼう》がならなくなった。蓄音器《ちくおんき》を聴《き》かせて貰《もら》いにわざわざ出かけて行っても、最初の二、三小節《しょうせつ》で不意《ふい》に立ち上がってしまいたくなる。何かが私を居《い》たたまらずさせるのだ。それで始終私は街から街を浮浪《ふろう》し続けていた。

なぜだかそのころ私はみすぼらしくて美しいものに強くひきつけられたのを覚えている。風景にしても壊《こわ》れかかった街だとか、その街にしてもよそよそしい表通り

問1 「私」の心身はどのような状態か。

注1 肺尖カタル 肺尖(肺の上部の尖端部分)の炎症。肺結核の初期症状。

よりもどこか親《した》しみのある、汚《きたな》い洗濯物《せんたくもの》が干《ほ》してあったりがらくたが転《ころ》がしてあったりむさくるしい部屋がのぞいていたりする裏通りが好きであった。雨や風が蝕《むしば》んでやがて土にかえってしまう、といったような趣《おもむき》のある街で、土塀《どべい》が崩《くず》れていたり家並みが傾きかかっていたり——勢《いきお》いのいいのは植物だけで、時とすると吃驚《びっくり》させるような向日葵《ひまわり》があったりカンナが咲いていたりする。

ときどき私はそんな路《みち》を歩きながら、ふと、そこが京都ではなくて京都から何百《なんびゃく》里《り》[2]も離れた仙台《せんだい》[3]とか長崎《ながさき》[4]とか——そのような市へ今自分が来ているのだ——という錯覚《さっかく》を起《お》こそうと努《つと》める。私は、できることなら京都から逃げ出して誰《だれ》一人知らないような市へ行ってしまいたかった。第一に安静《あんせい》。がらんとした旅館の一室《いっしつ》。清《せい》浄《じょう》な蒲団《ふとん》。匂《にお》いのいい蚊帳《かや》と糊《のり》のよくきいた浴衣。そこで一月ほど何も思わず横になりたい。願わくはここがいつの間にかその市になっているのだったら。——錯覚がようやく成功しはじめると私はそれからそれへ想像の絵《え》の具《ぐ》を塗《ぬ》りつけてゆく。なんのことはない、私の錯覚と壊れかかった街との二重写《にじゅううつ》しである。そして私はその中に*現実の私自身を見失《みうしな》うのを楽しんだ。

私はまたあの花火《はなび》というやつが好きになった。花火そのものは第二段《だいにだん》として、あの安っぽい絵の具で赤や紫や黄や青や、さまざまの縞模様《しまもよう》を持った花火の束《たば》、[5]中山寺の星下り、花合戦、枯れすすき。それから鼠花火《ねずみはなび》というのは一つずつ輪《わ》になって

注2 何百里 一里は、約三・九キロメートル。
注3 仙台 東北地方の地名。
注4 長崎 九州地方の地名。

問2 「現実の私自身を見失うのを楽しんだ」とあるが、何を楽しんだのか。

注5 中山寺の星下り、花合戦、枯れすすき。……鼠花火 いずれも花火の名。

いて箱に詰《つ》めてある。そんなものが変に私の心をそそった。

それからまた、びいどろという色硝子《いろガラス》で鯛《たい》や花を打ち出してあるおはじきが好きになったし、南京玉《なんきんだま》[6]が好きになった。またそれをなめてみるのが私にとってなんともいえない享楽《きょうらく》[7]だったのだ。あのびいどろの味ほど幽《かす》かな涼《すず》しい味があるものか。私は幼い時よくそれを口に入れては父母に叱《しか》られたものだが、その幼時のあまい記憶が大きくなって落魄《おちぶ》れた私に蘇《よみがえ》ってくるせいだろうか、全くあの味には幽かな爽《さわ》やかななんとなく*詩美《しび》といったような味覚が漂《ただよ》ってくる。

察《さっ》しはつくだろうが私にはまるで金がなかった。とはいえ、そんなものを見て少しでも心の動きかけた時の私自身を慰《なぐさ》めるためには贅沢《ぜいたく》ということが必要であった。二銭《せん》や三銭のもの——といって贅沢なもの。美しいもの——といって無気力《むきりょく》な私の触覚《しょっかく》にむしろ媚《こ》びてくるもの。——そういったものが自然私を慰めるのだ。

生活がまだ蝕《むしば》まれていなかった以前私の好きであった所は、例えば丸善《まるぜん》[8]であった。赤や黄のオードコロン[9]やオードキニン[10]。洒落《しゃれ》た切《き》り子細工《こざいく》[11]や典雅《てんが》なロココ[12]趣味の浮《う》き模様《もよう》を持った琥珀《こはく》色や翡翠《ひすい》色の香水瓶《びん》。煙管《きせる》、小刀《こがたな》、石鹸《せっけん》、煙草《たばこ》。私はそんなものを見るのに小一時間《こいちじかん》も費《つい》やすことがあった。そして結局いっとういい鉛筆を一本買うくらいの贅沢をするのだった。しかしここももうそのころの私にとっては重くるしい場所にすぎなかった。書籍《しょせき》、学生、勘定台《かんじょうだい》、これらはみな借金取《しゃっきんと》りの亡霊《ぼうれい》の

注6 びいどろ (vidro) ポルトガル語。ガラスのこと。

注7 南京玉 穴のあいた陶製、ガラス製の小さな玉。糸を通して飾りに用いる。

問3 「詩美」とあるが、「私」は、どのようなものに魅力を感じたのか。

注8 丸善 商店名。洋書や輸入雑貨の専門店。

注9 オードコロン (eau de cologne) フランス語。香水の一種。オーデコロン。

注10 オードキニン (eau de quinine) フランス語。液状の養毛剤の一種。

注11 切り子細工 切り込み細工をしたガラス器。カットグラス。

注12 ロココ (rococo) フランス語。十八世紀、フランスのルイ十五世時代に、流行した装飾様式。

ように私には見えるのだった。

ある朝——そのころ私は甲《こう》の友達から乙《おつ》の友達へというふうに友達の下宿《げしゅく》を転々《てんてん》として暮《く》らしていたのだが——友達が学校へ出てしまったあとの空虚《くうきょ》な空気のなかにぽつねんと一人取り残された。私はまたそこからさまよい出なければならなかった。何かが私を追いたてる。そして街から街へ、先に言ったような裏通りを歩いたり、駄菓子屋《だがし》の前で立ち留《ど》まったり、乾物屋《かんぶつや》の乾《ほ》し蝦《えび》や[13]棒鱈《ぼうだら》や[14]湯葉《ゆば》を眺《なが》めたり、とうとう私は二条《にじょう》の方へ寺町《てらまち》を[15]下《さ》がり、そこの果物屋《くだものや》*で足を留《と》めた。ここでちょっとその果物屋を紹介したいのだが、その果物屋は私の知っていた範囲《はんい》で最も好きな店であった。そこは決して立派《りっぱ》な店ではなかったのだが、果物屋固有《こゆう》の美しさが最も露骨《ろこつ》に感ぜられた。*果物はかなり勾配《こうばい》の急な台の上に並べてあって、その台というのも古びた黒い漆塗《うるしぬ》りの板《いた》だったように思える。何か華《はな》やかな美しい音楽の[16]快速調《アッレグロ》の流れが、見る人を石に化《か》したという[17]ゴルゴンの鬼面《きめん》——的なものを差しつけられて、あんな色彩やあんな[18]ヴォリウムに凝《こ》り固《かた》まったというふうに果物は並んでいる。青物《あおもの》もやはり奥へゆけばゆくほど堆《うず》高く積《つ》まれている。——実際あそこの人参葉《にんじんば》の美しさなどはすばらしかった。それから水に漬《つ》けてある豆《まめ》だとか慈姑《くわい》だとか。

またそこの家の美しいのは夜だった。寺町通りはいったいに賑《にぎ》やかな通りで——

注13 棒鱈　真鱈の身を乾燥させた食品。

注14 湯葉　豆乳の皮膜を乾燥させた食品。

注15 下がる　京都特有の表現で、南へ行くこと。なお、北へ行くことを「上がる」という。

問4 「私」にとって「果物屋」はどのようなイメージとして入ってきているか。

問5 「私」にとって「果物」はどのようなイメージで描かれているか。

注16 快速調　(allegro) イタリア語。音楽用語。アレグロ。

注17 ゴルゴン　ここでは、ギリシャ神話に登場する三人姉妹の怪物ゴルゴン(Gorgon)の末の妹メドゥーサのこと。

注18 ヴォリウム　(volume) 量感。ボリューム。

といって感じは東京や大阪よりはずっと澄《す》んでいるが――飾《かざ》り窓《まど》の光がおびただしく街路《がいろ》へ流れ出ている。それがどうしたわけかその店頭《てんとう》の周囲だけが妙《みょう》に暗いのだ。もともと片方は暗い二条通りに接している街角《まちかど》になっているので、暗いのは当然であったが、その隣家《りんか》が寺町通りにある家にもかかわらず暗かったのがはっきりしない。しかしその家が暗くなかったら、あんなにも私を誘惑《ゆうわく》するには至《いた》らなかったと思う。もう一つはその家の打《う》ち出《だ》した廂《ひさし》なのだが、その廂が眼深《まぶか》にかぶった帽《ぼう》子《し》の廂のように――これは形容というよりも、「おや、あそこの店は帽子の廂をやけに下げているぞ。」と思わせるほどなので、廂の上はこれも真《ま》っ暗《くら》なのだ。そう周囲が真っ暗なため、店頭につけられた幾《いく》つもの電灯《でんとう》が[19]驟雨《しゅうう》のように浴《あ》びせかける絢《けん》爛《らん》は、周囲の何者にも奪われることなく、ほしいままにも美しい眺めが照らし出されているのだ。裸の電灯が細長い螺旋棒《らせんぼう》をきりきり眼《め》の中へ刺《さ》し込《こ》んでくる往来《おうらい》に立って、また近所にある[20]鎰屋《かぎや》の二階の硝子窓をすかして眺めたこの果物屋の眺めほど、そのときどきの私を興《きょう》がらせたものは寺町の中でもまれだった。

その日私はいつになくその店で買い物をした。というのはその店には珍しい檸檬《れもん》*が出ていたのだ。檸檬などごくありふれている。が、その店というのもみすぼらしくはないまでもただあたりまえの八百屋《やおや》にすぎなかったので、それまであまり見かけたことはなかった。いったい私はあの檸檬が好きだ。[21]レモンヱロウの絵の具を

注19　驟雨　にわか雨。夕立の意味。

注20　鎰屋　商店名。一階が菓子店、二階が喫茶店になっていた。

問6　その時の「私」にとって、「檸檬」はどのようなものか。

注21　レモンヱロウ　(lemon yellow)　レモンイエロー。

チューブから搾《しぼ》り出《だ》して固《かた》めたようなあの単純な色も、それからあの丈《たけ》の詰《つ》まった紡錘形《ぼうすいけい》の恰好《かっこう》も。——結局私はそれを一つだけ買うことにした。それからの私はどこへどう歩いたのだろう。私は長い間街を歩いていた。始終私の心をおさえつけていた不吉な塊がそれを握《にぎ》った瞬間からいくらか弛《ゆる》んできたとみえて、私は街の上で非常に幸福であった。あんなにしつこかった憂鬱《ゆううつ》が、そんなものの一顆《いっか》で紛《まぎ》らされる——あるいは不審《ふしん》なことが、*逆説的《ぎゃくせつてき》な本当であった。それにしても心というやつはなんという不可思議《ふかしぎ》なやつだろう。

その檸檬の冷たさはたとえようもなくよかった。そのころ私は肺尖を悪くしていていつも身体《からだ》に熱が出た。事実友達の誰彼《だれかれ》に私の熱を見せびらかすために手の握り合いなどをしてみるのだが、私の掌《てのひら》が誰のよりも熱かった。その熱いせいだったのだろう、握っている掌から身内に浸《し》み透《とお》ってゆくようなその冷たさは快《こころよ》いものだった。

私は何度も何度もその果実を鼻に持っていっては嗅《か》いでみた。それの産地だというカリフォルニヤが想像に上《のぼ》ってくる。漢文《かんぶん》で習った[22]「売柑者之言《ばいかんしゃのげん》」の中に書いてあった「鼻を撲《う》つ」という言葉がきれぎれに浮かんでくる。そしてふかぶかと胸いっぱいに匂《にお》やかな空気を吸《す》い込《こ》めば、ついぞ胸いっぱいに呼吸したことのなかった私の身体や顔には温かい血のほとぼりが昇ってきてなんだか身内に元気が目覚めてき

問7 「逆説的な本当」とはどういうことか。

注22 「売柑者之言」明代初めの劉基《りゅうき》（一三一一～一三七五）の文章。

たのだった。……

実際あんな単純な冷覚《れいかく》や触覚《しょっかく》や嗅覚《きゅうかく》や視覚《しかく》が、ずっと昔からこればかり探していたのだと言いたくなったほど私にしっくりしたなんて私は不思議に思える――それがあのころのことなんだから。

私はもう往来を軽やかな昂奮《こうふん》に弾《はず》んで、一種[23]誇《ほこ》りかな気持ちさえ感じながら、美的装束《しょうぞく》をして街を闊歩《かっぽ》した詩人のことなど思い浮かべては歩いていた。汚れた手ぬぐいの上へ載《の》せてみたりマントの上へあてがってみたりして色の反映《はんえい》を量《はか》ったり、またこんなことを思ったり、

――*つまりはこの重さなんだな。――

その重さこそつねづね私が尋《たず》ねあぐんでいたもので、疑いもなくこの重さはすべての善《よ》いものすべての美しいものを重量に換算《かんさん》してきた重さであるとか、思いあがった諧謔心《かいぎゃくしん》からそんな馬鹿《ばか》げたことを考えてみたり――何がさて私は幸福だったのだ。

どこをどう歩いたのだろう、私が最後に立ったのは丸善の前だった。平常《へいじょう》あんなに避《さ》けていた丸善がその時の私にはやすやすと入れるように思えた。

「今日はひとつ*入ってみてやろう。」そして私はずかずか入って行った。

しかしどうしたことだろう、私の心を充《み》たしていた幸福な感情はだんだん逃げて

注23 誇りか　古語。誇らしいさま。得意そうなさま。誇らか。

問8 「この重さ」とはどういうことか。

問9 なぜ「私」は「入ってみてやろう」という気持になったのか。

いった。香水の瓶にも煙管にも私の心はのしかかってはゆかなかった。憂鬱がたてこめてくる、私は歩き回った疲労が出てきたのだと思った。私は画本《がほん》の棚の前へ行ってみた。画集の重たいのを取り出すのさえ常《つね》に増《ま》して力が要《い》るな！ と思った。しかし私は一冊ずつ抜き出しては見る、そして開けては見るのだが、克明《こくめい》にはぐってゆく気持ちは更に湧《わ》いてこない。しかも呪《のろ》われたことにはまた次の一冊を引き出してくる。それも同じことだ。それでいて一度バラバラとやってみなくては気が済《す》まないのだ。それ以上はたまらなくなってそこへ置いてしまう。以前の位置へ戻すことさえできない。私は幾度《いくど》もそれを繰り返した。とうとうおしまいには日ごろから大好きだったアングル[24]の橙色《だいだい》の重い本までなおいっそうの堪《た》え難《がた》さのために置いてしまった。――なんという呪われたことだ。手の筋肉《きんにく》に疲労が残っている。私は憂鬱になってしまって、自分が抜いたまま積み重ねた本の群《む》れを眺めていた。

以前にはあんなに私をひきつけた画本がどうしたことだろう。一枚一枚に眼《め》を晒《さら》し終わって後、さてあまりに尋常《じんじょう》な周囲を見回す時のあの変にそぐわない気持ちを、私は以前には好《この》んで味わっていたものであった。……

「あ、そうだそうだ。」その時私は袂《たもと》の中の檸檬を憶《おも》い出した。本の色彩をゴチャゴチャに積み上げて、一度この檸檬で試してみたら。「そうだ。」

私にまた先ほどの軽《かろ》やかな昂奮《こうふん》がかえってきた。私は手当《てあ》たりしだいに積みあげ、

注24 アングル (Jean Auguste Dominique Ingres, 1780 ~ 1867) フランスの画家。

また慌《あわ》ただしくつぶし、また慌ただしく築《きず》きあげた。新しく引《ひ》き抜《ぬ》いてつけ加えたり、取り去ったりした。＊奇怪《きかい》な幻想的《げんそうてき》な城《しろ》が、その度《たび》に赤くなったり青くなったりした。

やっとそれは出来上がった。そして軽く跳《おど》りあがる心を制しながら、その城壁《じょうへき》の頂《いただき》に恐《おそ》る恐《おそ》る檸檬を据《す》えつけた。そしてそれは上出来《じょうでき》だった。

見わたすと、その檸檬の色彩はガチャガチャした色の諧調《かいちょう》をひっそりと紡錘形の身体の中へ吸収《きゅうしゅう》してしまって、カーンと冴《さ》えかえっていた。私は埃《ほこり》っぽい丸善の中の空気が、その檸檬の周囲だけ変に緊張しているような気がした。私はしばらくそれを眺めていた。

不意に第二のアイディアが起こった。その＊奇妙なたくらみはむしろ私をぎょっとさせた。

――それをそのままにしておいて私は、なにくわぬ顔をして外へ出る。――

私は変にくすぐったい気持ちがした。「出て行こうかなあ。そうだ、出て行こう。」

そして私はすたすた出て行った。

変にくすぐったい気持ちが街の上の私を微笑《ほほえ》ませた。丸善の棚へ黄金色《こがねいろ》に輝く恐ろしい爆弾《ばくだん》を仕掛けてきた奇怪な悪漢《あっかん》が私で、もう十分後にはあの丸善が美術の棚を中心として大爆発《だいばくはつ》をするのだったらどんなにおもしろいだろう。

問10 「奇怪な幻想的な城」とは何か。

問11 「奇妙なたくらみ」とは何か。

私はこの想像を熱心に追求《ついきゅう》した。「そうしたらあの気詰《きづ》まりな丸善もこっぱみじん 1
だろう。」
そして私は[25]活動写真《かつどうしゃしん》の看板画が奇体《きたい》な趣《おもむき》で街を彩《いろど》っている[26]京極を下って行った。

注25　活動写真
映画の旧称。

注26　京極
京都市中京区の新京極通りの通称。

出典　『檸檬』（新潮文庫・一九六七年刊）

著者紹介　梶井　基次郎（かじい　もとじろう）

一九〇一～一九三二年。大阪府生まれ。小説家。『檸檬』は一九二四年、雑誌『青空』創刊号に発表。
作者は第三高等学校に在籍し、京都に下宿していた。現代でも短編の名手として人気がある。

まとめ

1 「檸檬」で作者が表そうとしたものは何だと思うか。

18

古典

源氏物語（冒頭）

瀬《せ》戸《と》内《うち》寂《じゃく》聴《ちょう》

紫式部によって著された、物語文学の最高峰とされる古典文学。原文と現代語訳による冒頭部分の紹介

いづれの御時《とき》にか、女御、更衣《(かうい)》あまたさぶらひ給ひける中《(なか)》に、いとやんごとなき際《きは》にはあらぬがすぐれてときめき給ふ有《(あり)》けり。はじめより我はと思ひ上《あ》がりたまへる御方《かた》がた、めざましき物《(もの)》におとしめそねみ給ふ。同《おな》じ程、それよりげらう《(ふ)》の更衣たちはまして安《やす》からず。朝夕の宮仕《みやづか》へにつけても人の心《こころ》をのみ動《うご》かし、うらみを負《お》ふ積《つも》りにやありけむ、いとあづしくなりゆき物心ぼそげに里《さと》がちなるを、いよいよあかずあはれなる物《(もの)》に思《おも》ほして、人の譏《そし》りをもえ憚《はゞか》らせ給はず、世のためにしも成《(なり)》ぬべき御もてなしなり。

（紫《むらさき》式部《しきぶ》）[1]

いつの御代《みよ》[2]のことでしたか、女御《にょうご》[3]や更衣《こうい》[4]が賑々《にぎにぎ》しくお仕《つか》えしておりました帝《みかど》[5]の後《こう》[6]宮《きゅう》に、それほど高貴《こうき》な家柄《いえがら》の御出身《ごしゅっしん》ではないのに、帝に誰よりも愛されて、はなば

注1　紫式部
生没年不明。平安時代中期の女性作家、歌人。源氏物語の作者と考えられている。

注2　御代
ある天皇の治めた時代。

なしく優遇《ゆうぐう》されていらっしゃる更衣がありました。

はじめから、自分こそは君寵《くんちょう》[7]第一にとうぬぼれておられた女御たちは心外《しんがい》で腹立《はらだ》たしく、この更衣をたいそう軽蔑《けいべつ》したり嫉妬《しっと》したりしています。まして更衣と同じほどの身分か、それより低い地位の更衣たちは、気持のおさまりようがありません。

更衣は宮仕《みやづか》え[8]の明《あ》け暮《く》れにも、そうした妃《きさき》たちの心を掻《か》き乱《みだ》し、烈《はげ》しい嫉妬の恨《うら》みを受けることが積《つ》もり積《つ》もったせいなのか、次第に病《やまい》がちになり衰弱《すいじゃく》してゆくばかりで、何とはなく心細《こころぼそ》そうに、お里《さと》に下がって[9]暮《くら》す日が多くなってきました。

帝はそんな更衣をいよいよいじらしく思われ、いとしさは一途《いちず》につのるばかりで、人々のそしりなど一切《いっさい》お心にもかけられません。

全く、世間に困った例として語り伝えられそうな、目を見張《みは》るばかりのお扱《あつか》いをなさいます。

（瀬戸内《せとうち》 寂聴《じゃくちょう》）

注3・4　女御　更衣　どちらも天皇に仕える女性の地位の一つ。
注5　帝　天皇
注6　後宮　皇后や妃などが住む宮中奥向きの宮殿。
注7　君寵　天皇からの特別の愛。
注8　宮仕え　宮中につとめること。
注9　お里に下がる　実家に帰る。

出典　『源氏物語巻一』（講談社・二〇〇一年刊）

著者紹介　瀬戸内 寂聴（せとうち　じゃくちょう）
一九二二年、徳島県生まれ。元天台寺住職。一九九七年、文化功労者。代表作に『夏の終り』、『場所』（以上、新潮文庫）など多数。

上級学習者向け日本語教材　日本文化を読む

発行日　2008 年 10 月 10 日（初版）
　　　　2024 年 11 月 8 日（第 11 刷）

著者　（公財）京都日本語教育センター
　　　西原純子、井上真理、吉田道子
編集　株式会社アルク日本語編集部、有限会社ギルド
編集協力　森田真紀子、石暁宇
翻訳　英語　：　Janine Heaton　Carolyn J Heaton
　　　中国語：　吉田 方
　　　韓国語：　金 勇振
デザイン・DTP　有限会社ギルド
イラスト　樺山真理
ナレーション　眞水徳一、茂呂田かおる
録音・編集　株式会社メディアスタイリスト
CD プレス　株式会社ソニー・ミュージックソリューションズ
印刷・製本　広研印刷株式会社
発行者　天野智之
発行所　株式会社アルク
　　　〒 141-0001　東京都品川区北品川 6-7-29　ガーデンシティ品川御殿山
　　　Website：https://www.alc.co.jp/

製品サポート：https://www.alc.co.jp/usersupport/

PC：7008139
ISBN：978-4-7574-1473-0

上級学習者向け日本語教材

日本文化を読む

語彙リスト

ページ	語彙	読み	英語	中国語	韓国語
1 途中下車（pp.8～11）					
8	途中下車	とちゅうげしゃ	stopover	中途下车	도중하차
	幾分の	いくぶんの	some	某种程度；多少，稍微	약간의
	心細さ	こころぼそさ	forlornness	心中无底，心中不安，心虚	불안함
	和む	なごむ	to calm	稳静，平静，温柔	누그러지다
	口数	くちかず	talkativeness	话（话语）的数量，话多（少）	말수
	様相	ようそう	aspect	样子，状态，情况	양상
	一変する	いっぺんする	to change suddenly	完全改变，一变	일변하다，급변하다
	滅多に	めったに	rarely	任意，随便，胡乱；后接否定：几乎，不常	어지간해서는
	意を決して	いをけっして	to resolve	决意，打定主意	마음을 굳게 먹고
	耳打ちする	みみうちする	to whisper	耳语（动）	귓속말하다
9	うちとける		to warm up to (someone)	无隔阂，融洽	마음을 열다
	さんざん		utterly	厉害，严重，狠狠地，~得惨，狼狈不堪	몹시
	艶然たる	えんぜんたる	captivating	嫣然，莞尔	환한
	まんざら		not altogether	后接否定：并不完全，不一定	꼭 ~ 인 것만은 아니다
	冗談	じょうだん	joke	玩笑，诙谐	농담
	呟く	つぶやく	to mutter	发牢骚，嘴里嘟囔	중얼거리다
	浪人	ろうにん	to take a gap year; gap year student	无业游民，闲散人，失学学生	재수
	本気で	ほんきで	seriously	认真，正经	진심으로
	あっさり		easily, readily	清淡，素净；爽快，干脆	쉽게
	宿泊費	しゅくはくひ	lodging money	住宿费	숙박비
	まわす		to divert	转，旋转；传递	돌리다
	親不孝な	おやふこうな	unfilial	不孝	불효하다
	つかる		to soak (oneself)	浸，泡；腌透	몸을 담그다
	紙きれ	かみきれ	slip of paper	纸片，便条，废纸	쪽지
	家業	かぎょう	family business	家业	가업
	運送店	うんそうてん	freight agency	运输公司，运输业务代理店	운송회사
	継ぐ	つぐ	to inherit, succeed	继承，继续；接上，连接	잇다
	断念する	だんねんする	to give up	断念，死心	단념하다
10	そっちのけ		to neglect, ignore	扔在一边儿，丢开不管	제쳐놓음
	読みあさる	よみあさる	to read voraciously	博览，贪读	마구 읽다
	面影	おもかげ	image, memory	面貌，痕迹	(옛) 모습
	ジャンケン		the game of "rock-paper-scissors"	猜拳；划拳时的吆喝声	가위바위보
	下宿する	げしゅくする	to lodge, board	寄宿，租住	하숙을 하다
	ほんの		merely, just	仅仅，少许	단지，그저
	囁く	ささやく	to whisper	私语，附耳低语	속삭이다
	黙りこくる	だまりこくる	to remain silent, shut up	缄口不言，一言不发	잠자코 있다
	打ちひしがれる	うちひしがれる	to be dejected, crushed	(被) 压坏、压扁、压碎；(被) 挫败	풀이 죽다
	どない		what, how (dialect)	怎样，如何	어떻게
	ガチャンと		slam (onomatopoeia)	象声词：哐	철컥
11	見事に	みごとに	completely, beautifully	漂亮地，精彩地，出色地；完全，彻底	완벽히
	ふる		to jilt, dump	甩掉，拒绝	(애인 등을) 차다
	ペロリと		to stick one's tongue out (onomatopoeia)	吐舌貌，伸出舌头；一口气	혀를 살짝 내밈
	失恋	しつれん	heartbreak; to be unlucky in love	失恋	실연
	傷	きず	scar, trauma	伤，创伤	상처
	にっくき		detestable, hateful	可憎，可恨，可恶	미운
	恋敵	こいがたき	rival in love	情敌	연적
2 愛情としつけ（pp.12～21）					
12	葛藤	かっとう	dilemma, conflict, trouble	纠葛，纠纷	갈등
	身につける	みにつける	to learn	掌握；携带在身	습득하다
	依存する	いぞんする	to depend on (someone or something)	依存，依靠	의존하다
	保護	ほご	protection; to protect	保护	보호
	全力を傾ける	ぜんりょくをかたむける	to devote oneself to	倾全力，全力以赴	전력을
	自律的な	じりつてきな	autonomous	自律（哲）	자율적인
	愛着	あいちゃく	love, attachment	眷恋，依依不舍	애착
	一見	いっけん	seemingly	看上去，看一眼	얼핏 보기에
	相反する	あいはんする	contradictory	相反	상반되다
	ブレンドする		to blend, balance	调制，混合	섞다

ページ	語彙	読み	英語	中国語	韓国語
	こつ		art, knack	窍门，要领	요령
	しきりに		repeatedly, eagerly	屡次；一个劲儿地	자꾸
13	引きずる	ひきずる	to drag along	拖，拉，曳	질질 끌다
	よちよち歩き	よちよちあるき	to toddle along	走路摇摇晃晃	아장아장걸음
	ぬけ出す	ぬけだす	break free, slip away	脱身，溜走	(살짝)도망치다
	引っぱる	ひっぱる	to pull, yank	拽，拉	잡아당기다
	つかまえる		to grab, hold tightly	抓住	잡다
	拘束する	こうそくする	to restrict, restrain	拘留，拘禁	구속하다
	活発な	かっぱつな	active	活泼的	활발한
	かじる		to gnaw	啃，咬	물다
	好奇心	こうきしん	curiosity	好奇心	호기심
	おもむく		to set out (to wherever the fancy takes one)	赴，向	향하다
	自発性	じはつせい	initiative	自愿，主动	자발성
	微妙に	びみょうに	subtly	微妙	미묘하게
	しつける		to discipline, train	教管，教养	길들이다
	しがみつく		to cling	抱住，搂住，抓住	매달리다
	かきつく		to grip tightly	抱住，搂住，抓住	물고 늘어지다
	介添えする	かいぞえする	to help, assist	伺候，服侍	부축하다
	しむける		to induce, prompt	劝使，对待	하게 만들다
	抱きかかえる	だきかかえる	to cradle, carry	抱在怀里	껴안다
	放っておく	ほうっておく	to leave unattended, leave alone	丢下不管，放下不管	내버려두다
	突き放す	つきはなす	to abandon, thrust aside	推开，撇开	떼어놓다
	振り返る	ふりかえる	to look back, turn back	回顾，向后看	돌아보다
14	反抗期	はんこうき	rebellious phase	反抗期	반항기
	ぴったりくっつく		to cling to	正好接合在一起	딱 달라붙다
	体ごと	からだごと	the whole body	连身体一块儿	몸 전체
	バランスをとる		to maintain balance	取得平衡	균형을 잡다
	落っこちる	おっこちる	to tumble off	落，掉；不及格	떨어지다
	競馬	けいば	horse racing	赛马	경마
	ジョッキー		jockey	骑手，骑师	기수
	快感	かいかん	pleasure	快感	쾌감
	安堵感	あんどかん	feeling of security, relief	放下心的感觉	안도감
	恋しい	こいしい	to miss (something or someone)	眷恋的，爱慕的	그립다
	甘える	あまえる	to act like a baby, demand attention	撒娇	어리광 부리다
	すたすた		briskly, quickly	急步状	빠른 걸음으로
	這いつくばる	はいつくばる	to grovel	跪伏，匍匐	납작 엎드리다
	(甘えに)のる		to fall for, give in to	娇惯	반응하다
	泣きじゃくる	なきじゃくる	to sob, wail	抽泣	흐느껴 울다
	押さえつける	おさえつける	to pin to the ground, hold down	压住，按住	누르다
	咬む	かむ	to bite	咬	물다
	こらしめる		to punish, chastise	惩罚	벌 주다, 혼 내다
	誰しも	だれしも	everyone	无论谁，任何人	누구든지
15	ちらっと		to glance at	一晃，一闪	슬쩍, 언뜻
	根負けする	こんまけする	to give in, lose a contest of wills	坚持不住，没长性	끈기에 지고 말다
	あやす		to comfort, dandle (a baby)	哄孩子	달래다
	邪険さ	じゃけんさ	hardheartedness	无情，狠毒	매정함
	恨む	うらむ	to resent	恨，怀恨	원망하다
	苦笑する	くしょうする	to smile wryly	苦笑	쓴 웃음을 짓다
	子別れ	こわかれ	to part from one's children	与儿女生别	자식과의 이별
	一口でいえば	ひとくちでいえば	in short, in a word	一句话……	한 마디로 말하면
	つきる		to boil down to	尽	밖에 없다
	哺乳	ほにゅう	suckling, nursing	哺乳	포유
	面倒をみる	めんどうをみる	to care for, look after	照顾	보살피다
	独力で	どくりょくで	on one's own	独自	혼자만의 힘으로
	採食する	さいしょくする	to forage for food	叼食，寻找食物	먹이를 찾다
	就巣	しゅうそう	nesting, brooding	回窝	취소
	巣	す	nest, den	窝，巢	둥지
	くるまる		to nestle	裹在……内	싸다
	巣穴	すあな	burrow, den	巢穴	둥지 구멍
	蓋する	ふたする	to cover, put a lid on	盖上盖	뚜껑을 덮다
	外敵	がいてき	predator, intruder	外敌，天敌	외부의 적

ページ	語彙	読み	英語	中国語	韓国語
	授乳	じゅにゅう	to nurse	喂奶，哺乳	수유
	はずす		to remove	取下，摘下，除去	열다
	開けっ放しにする	あけっぱなしにする	to leave open	大敞大开	연 채로 두다
	そらす		to turn away	岔开，扭转，错过	피하다
	拒否する	きょひする	to refuse, deny	拒绝，否决	거부하다
	断ち切る	たちきる	to sever, break off (emotional attachment, a relationship)	裁开，切断；断绝往来	끊다
	通称	つうしょう	nicknamed, commonly called	通称；俗称	통칭
	劇的な	げきてきな	dramatic	戏剧性的，富有戏剧性的	극적인
16	観察	かんさつ	observation	观察	관찰
	咬みつく	かみつく	to bite	咬住不放；极力反驳	물다
	猛烈な	もうれつな	ferocious	猛烈的	맹렬하다
	攻撃	こうげき	attack	攻击	공격
	逃げまどう	にげまどう	to escape confusedly	乱窜，乱跑	갈팡질팡하다
	あげくのはて		finally, to end up	到了最后，最后终于	끝에 가서 결국
	たまりかねる		unable to endure any more	忍不住，难以容忍	참을 수 없게 되다
	ライバル		rival	竞争对手；情敌	라이벌
	群れ	むれ	herd, pack, group	群，一伙，一帮	무리 , 떼
	様相	ようそう	aspect	样子，状态	양상
17	睦まじさ	むつまじさ	closeness, harmoniousness	和睦	정다움
	和む	なごむ	to be calmed, charmed	稳静，平静，温柔	온화해지다
	威嚇をする	いかくをする	to intimidate, threaten	威胁，恐吓	위협하다
	歯をたてる	はをたてる	to sink the teeth into	咬	이빨을 세우다
	飼育する	しいくする	to raise, keep (an animal)	饲养	사육하다
	おっぱい		mother's milk	奶（儿），乳房	젖가슴
18	頬っぺた	ほっぺた	cheek	脸蛋儿	뺨
	平手	ひらて	palm of the hand (for slapping)	巴掌	손바닥
	まれに		rarely	稀，鲜少	드물게
	ピーク		peak	山顶，顶点；高峰，最高潮	절정
	けじめ		distinction, boundary	区别，界线	전환점 , 계기
19	頻度	ひんど	frequency	频度，频率	빈도
	たしなめ		reprimand	规劝，劝诫	타이름
	親和的関係	しんわてきかんけい	friendly, cordial relationship	和睦的关系	친화적 관계
	人間臭い	にんげんくさい	to smack of humanity	近似于人，有人味儿	인간과 비슷하다
	離乳期	りにゅうき	weaning period	断奶期	이유기
20	気をそらす		to divert someone's attention away from	换一下心情	신경을 딴데로 돌리다
	欲求不満	よっきゅうふまん	to be frustrated; frustration	欲求没有得到满足	욕구불만
	抱きしめる	だきしめる	to hug, embrace	抱紧	끌어안다
	とりあわない		to ignore, neglect	不理睬，不争抢	상대하지 않다
	抑うつ状態	よくうつじょうたい	state of depression	忧郁状态	불쾌하고 억울한 상태
	幼児型	ようじがた	infantile behavior	具有幼儿特点的，像孩子一样的	유아형
	退行する	たいこうする	to regress	退化，向后退	퇴행하다
	霊長類	れいちょうるい	primates	灵长类	영장류
	刷りこみ	すりこみ	imprinting	动物的求生本能	각인
3 贈るかたちと意味（pp.22～27）					
22	随時に	ずいじに	as the occasion demands, extemporaneously	随时	수시로
	ほんの		only, just	稍微，少许	그저 , 단지
	成熟する	せいじゅくする	to mature	成熟	성숙하다
	元来	がんらい	originally	本来，原来；生来	원래
	冠婚葬祭	かんこんそうさい	formal, ceremonial occasions (weddings, funerals, etc.)	冠婚葬祭	관혼상제
	他家	たけ	another family	别人家	남의 집
	香典	こうでん	monetary funeral offering	香奠	부의
	葬儀	そうぎ	funeral service	葬礼	장례식
	香典返し	こうでんがえし	return present for a funeral offering	香奠的回礼	부의에 대한 답례
	塗りもの	ぬりもの	lacquer ware	漆器	칠기
	印	しるし	symbol, token	记号，符号；证明，标志	상징
	不幸がある	ふこうがある	there is a death in the family	他人家有丧事	불행한 일이 있다
23	香典を包む	こうでんをつつむ	to give a funeral offering	奉上香祭	부의금을 봉투에 넣다
	やりとり		exchange	互赠，互相交往	주고 받음
	互酬性	ごしゅうせい	reciprocity	礼尚往来，互相应酬	호수성

ページ	語彙	読み	英語	中国語	韓国語
	ややこしい		complicated	复杂的，麻烦的	까다롭다
	わずらわしい		a nuisance, troublesome	繁杂的，麻烦的	성가시다
	霊長類	れいちょうるい	primates	灵长类	영장류
	とりわけ		particularly, especially	特别，格外	특히
	不和に陥る	ふわにおちいる	to fall into discord	陷入不和睦	불화에 빠지다
24	喧嘩	けんか	argument, fight	争吵，打架	싸움
	途絶える	とだえる	to break off, cease	断绝；中断，间断	끊어지다
	やかましい		difficult, moody, fussy; noisy	吵闹	요란스럽다
	ネットワーク		network	网络	네트워크
	はりめぐらす		to set up, spread, institute	布满，遍布	빙 둘러치다
	披露宴	ひろうえん	(wedding) reception	婚宴，招待会	피로연
	付加する	ふかする	to add on, supplement, append	附加，添加	부가하다
	近況	きんきょう	news, recent conditions	近况	근황
	ひとえに		simply, wholly, entirely	专心，一层，单	오직
	今年をもって	ことしをもって	until the end of this year; starting from next year	（就在）今年	올해를 끝으로
25	旧友	きゅうゆう	old friend	故交，老朋友	오랜 친구
	不都合な	ふつごうな	inconvenient, improper, troublesome	不妥当，不合适	불편한
	交際を断つ	こうさいをたつ	to cut off relations	断交	교제를 끊다
	弁明をする	べんめいをする	to make excuses, explain one's actions	阐明，辩解，分辩	변명을 하다
	誤解をとく	ごかいをとく	to clear up misunderstandings	解除误会	오해를 풀다
	抜け出す	ぬけだす	to escape from; slip out from	脱身，溜走；脱离，摆脱	벗어나다
	創意	そうい	originality, imagination, creativity	创见	창의
	心をこめる	こころをこめる	from the heart	真心实意	마음을 담다
	津波	つなみ	tsunami	海啸	해일 , 쓰나미
	（役割に）酔う	よう	to become intoxicated (with one's position)	陶醉于角色中	(역할에) 도취되다
26	煌々と	こうこうと	brightly, brilliantly	煌煌	휘황하게
	横になる	よこになる	to lie down	躺下	눕다
	うずくまる		to crouch, squat; curled up	蹲下	웅크리다
	レトルト食品	レトルトしょくひん	vacuum-packed foods	冷冻食品，快餐食品	레토르트 식품
	ダンボール箱	ダンボールばこ	cardboard box	纸箱，瓦楞纸箱	골판지 상자
	十二分に	じゅうにぶんに	plentifully, more than enough	十二分，特别	충분히
	喪失感	そうしつかん	sense of loss	失去……感觉，丧失感	상실감
	打ちのめす	うちのめす	to be depressed, dejected	打垮，打翻	큰 타격을 주다
	おびえる		to quake in fear	畏惧，害怕	떨다
	皆無である	かいむである	to be nonexistent	皆无，完全没有	전무하다
	軸	じく	axis	轴，杆	중심 , 주축
	訴え	うったえ	complaint; lawsuit	控诉，控告	호소
	かかわる		to be involved with, have a relationship to	关系到，涉及到	관련되다
	募金	ぼきん	monetary donations	募捐	모금
	思い知らす	おもいしらす	to drive home, realize	让……尝尝，让……体验	깨닫게 하다
27	傷ついた	きずついた	to be damaged, wounded, besmirched	受伤，损坏	상처를 받다
	アイデンティティ		sense of identity	自我，自我同一性	정체성
	評価を落とす	ひょうかをおとす	to underestimate, lower one's appraisal of	丧失名声	낮게 평가하다
4	**鞄（pp.28～33）**				
28	くたびれた（服装）		worn out, tattered	用旧，穿旧	낡아빠진 (옷차림)
	目もと	めもと	eyes; skin around the eyes	眼睛，眼神	눈매
	ぬけぬけと		brazenly, impudently	厚着脸皮，大言不惭	뻔뻔스럽게
	応募する	おうぼする	to apply for	应征，应募	응모하다
	非常識な	ひじょうしきな	lack of common sense, thoughtlessness	不合乎常理，太没有常识	비상식적인
	採用する	さいようする	to hire, accept	采纳，任用，录用	채용하다
	引き延ばす	ひきのばす	to put off, procrastinate	延长，拖延	늦추다 , 지연시키다
	ものを言う	ものをいう	to speak, say something	说话，发挥作用	입을 열다
	尻目に	しりめに	to ignore, look contemptuously upon	斜眼看，蔑视	곁눈질로 보며
	駄目な	だめな	in vain, hopeless, of no use	不行，不可能，无用	안된다
	ほっと		in a relieved manner	松一口气，放松	마음이 놓여
	肩の荷をおろす	かたのにをおろす	to be relieved of a burden	卸下包袱	부담을 덜다
	唐突さ	とうとつさ	abrupt, startling	太突然	당돌함
	はぐらかす		to dodge, sidestep	支吾，打岔；甩开同伴	얼버무리다
	引き止めにかかる	ひきとめにかかる	to detain, keep	制止，刹车	말리다
29	こだわる		to be particular	拘泥，挑剔	구애하다

ページ	語彙	読み	英語	中国語	韓国語
	いまさら		only now, at this late date	现在才，现在再，事到如今	이제 와서
	納得できる	なっとくできる	understandable, convincing	可以理解，能够理解	납득되다
	欠員	けついん	opening, vacancy	缺人，缺额	결원
	新規	しんき	anew, afresh	新的	신규
	補充	ほじゅう	supplement; to fill a vacancy	补充	보충
	矢先	やさき	just as, at the moment that	箭头；正当其时	시작되려는 찰나
	考慮の余地	こうりょのよち	room for consideration	考虑的余地	고려의 여지
	さんざん		thoroughly	厉害，严重，狼狈不堪	실컷
	一種の	いっしゅの	of a sort, a type of	一种	일종의
	消去法	しょうきょほう	process of elimination	去除方法，消去法	소거법
	思わせぶりに	おもわせぶりに	suggestively, insinuatingly	造作，装腔作势	의미가 있는 듯한
	口上	こうじょう	statement; prologue	口说；开场白	말
	さりげなく		casually, nonchalantly	若无其事，毫不在意	아무렇지 않게
	言ってのける	いってのける	to say boldly, clearly	竟敢说	말해 버리다
	いささか		somewhat, rather	略微，些微	약간
	押し込む	おしこむ	to cram into	闯进	집어넣다
	視線を落とす	しせんをおとす	to lower one's gaze	向下看，放下视线	시선을 내리다
	バランスがとれる		to balance out, match evenly	取得平衡	균형이 잡히다
	(歩いている)分には	ぶんには	part; so long as	部分；份儿	(걷고 있는) 정도라면
	さしかかる		encounter, come across	来到，到达（某一地点）	접어들다
	おのずから		automatically, naturally, of itself	自然而然地	저절로
	制約する	せいやくする	to limit, restrict	制约，约束	제약하다
30	気勢をそぐ	きせいをそぐ	to dampen the spirit of	挫对手势气	기세를 꺾다
	手放す	てばなす	to part with, give up	放手，松开手	손을 놓다
	仮説を立てる	かせつをたてる	to formulate a theory	提出假说，创立假说	가설을 세우다
	床	ゆか	the floor	地板	바닥
	自発的に	じはつてきに	voluntarily, taking initiative	自愿，自动	자발적으로
	強制する	きょうせいする	to force, compel	强制	강제하다
	振り出しに戻る	ふりだしにもどる	to return to the drawing board	回到出发点	원점으로 돌아가다
	雇う	やとう	to hire	雇用	고용하다
	論じる	ろんじる	to discuss, argue	论述，谈论	논하다
	それに越したことはない	それにこしたことはない	there is nothing better than; that is the best solution	没有比它更好	더 좋을 것이 없다
31	あつかましい		presumptuous	厚颜无耻的	뻔뻔하다
	大した	たいした	important, interesting	很，非常，了不起	대단한
	口外をはばかる	こうがいをはばかる	to be of a confidential nature, require discretion	担心，泄漏，害怕走漏	발설을 꺼리다
	貴重品	きちょうひん	valuables	贵重物品	귀중품
	肌身離さず	はだみはなさず	to carry with one always	时刻不离地	늘 소중히 몸에 지니고
	腕っ節が強い	うでっぷしがつよい	physically strong	力气大	완력이 세다
	ひったくり		purse-snatching	抢劫	날치기
	強盗	ごうとう	robbery, mugging	强盗	강도
	目をつける	めをつける	to eye, direct one's attention to	着眼	노리다
	お手上げ	おてあげ	hopeless, to be in trouble	服输，没辙	속수무책
	年寄りじみた	としよりじみた	like an elderly person	显得老	노인티가 나다
	声をたてる	こえをたてる	to speak up	出声，发出声音	소리를 내다
	手をあてがう	てをあてがう	to hold one's hand against	把手贴在	손을 대다
	言い負かす	いいまかす	to talk down, argue down	驳倒，说服	말로 상대를 꺾다
	持ち込み	もちこみ	to bring into, carry onto	携入，带进；提出	반입
32	遠慮する	えんりょする	to refrain from; reserve	客气，远虑	삼가하다 , 사양하다
	下宿	げしゅく	boarding house	租住	하숙
	たどり着く	たどりつく	to reach, arrive at	好容易才走到	도달하다
	身軽な	みがるな	carefree, unburdened	轻松，轻装	몸이 가벼운
	脱線する	だっせんする	to derail, get off track	脱轨	탈선하다
	ふさわしい		appropriate	相符，合适	적당한
	さわやかな		mild, pleasant	爽快，清爽	상쾌한
	知り合いの	しりあいの	acquaintance	相识，熟人	아는
	下見	したみ	to go take a look, inspect	预先检查	예비 검사
	出向く	でむく	to come in person, visit	前往，前去	떠나다
	当然のなりゆき	とうぜんのなりゆき	natural outcome	大势所趋	당연한 추세
	例の	れいの	the thing in question	以前的，上次的	예의

ページ	語彙	読み	英語	中国語	韓国語
	ずっしり		heavy, to weigh heavily	沉甸甸	묵직한
	(腕に)こたえる		to feel it on	响应	견디다
	我慢できない	がまんできない	to be unbearable	无法忍耐	견딜 수 없다
33	腰骨	こしぼね	pelvic bone	腰骨；毅力	허리뼈
	背骨	せぼね	spine, backbone	脊梁骨	등뼈，척추
	めり込む	めりこむ	to lodge into, sink into	陷入，沉入	박히다
	いつの間にやら	いつのまにやら	before one knows it; without one's realizing it	不知何时	어느센가
	方向転換する	ほうこうてんかんする	to change direction	改变方向	방향 전환하다
	道順	みちじゅん	route, way	路径，路线	가는 순서
	さえぎる		to block	遮挡	차단하다
	ずたずたに		in pieces, shreds	粉碎，零碎	갈기갈기
	寸断する	すんだんする	cut off, cut into pieces	切成一截一截	촌단하다
	使いものにならない	つかいものにならない	unusable, useless	无法利用	쓸 만한 것이 못 되다
	やむを得ず	やむをえず	to be obliged to, have no choice	不得已	어쩔 수 없이
	導く	みちびく	to lead, guide	引导	인도하다
	ためらう		to hesitate	犹豫	주저하다
	迷う	まよう	to get lost, vacillate	迷失，犹豫	헤메다
	嫌になるほど	いやになるほど	exasperatingly	很烦，很讨厌	싫어질 만큼

5 平成おとぎ話

(一)日本人は「諍」と「友」の両立が難しい（pp.34～36）

ページ	語彙	読み	英語	中国語	韓国語
34	顧問	こもん	advisor	顾问	고문
	推進する	すいしんする	to promote	推动	추진하다
	行き違い	いきちがい	misunderstanding	相左，走两岔，分歧	의견이 엇갈림
	知日家	ちにちか	Japanologist	日本通	지일가
	シンポジウム		symposium	专题讨论会，专题论文集	심포지움
	対外	たいがい	overseas, foreign	对外	대외
35	連想する	れんそうする	to associate (something with)	联想	연상하다
	腹を割って話す	はらをわってはなす	to talk frankly	推心置腹地说，说心里话	본심을 털어놓고 이야기하다
	なおかつ		and yet; besides	更，而且	게다가
	温和な	おんわな	mild, genial	温和	온화한
	打ち立てる	うちたてる	to establish	建立，奠定	확립하다
	心構え	こころがまえ	mental preparedness	精神准备，思想准备	마음의 준비
	何しろ	なにしろ	after all, at any rate	无论怎么说，反正	어쨌든
	言い分	いいぶん	viewpoint; excuse	主张，意见；牢骚，不满	할 말，주장
	配慮	はいりょ	consideration, concern	关心，关照	배려
	関連づける	かんれんづける	to associate, tie together (ideas)	关系，联系	관련짓다
	さりげなく		casually	若无其事，毫不在意	자연스럽게
	ほぐす		to relax, relieve (tension)	解开，拆开	풀다
	大人	たいじん	magnanimous, virtuous person	大人；德高望重的人，地位高的人	대인
	当てはまる	あてはまる	to fit, apply to	适用，合适	들어맞다
	文化庁	ぶんかちょう	Agency for Cultural Affairs	文化厅	문화청
	円滑に	えんかつに	smoothly	圆满，顺利	원활하게
	維持する	いじする	to maintain, preserve	维持	유지하다
36	談義	だんぎ	speech, sermon; discussion	讲道理，说教	담의，이야기
	一同	いちどう	all (those present)	大家，全体	일동
	破顔一笑する	はがんいっしょうする	to break into a broad smile	破颜一笑	파안일소하다
	ほころぶ		to break into a smile	绽线，绽开，微笑	방긋이 웃다
	洒落	しゃれ	play on words, joke	俏皮话；漂亮，潇洒	익살，재치있는 농담
	本領	ほんりょう	specialty	本领，特长	본령，본질
	あれっと思う	あれっとおもう	to be surprised, startled	觉得奇怪，觉得可疑	이상하게 생각하다
	焦る	あせる	to be hasty, panic	着急	조급하게 굴다
	矛盾する	むじゅんする	to be contradictory	矛盾	모순되다
	正面	しょうめん	direct, straight-on; the front	正面	정면
	いきり立つ	いきりたつ	to fly into a rage	愤怒，激昂	격분하다

(二)アイヌの昔話「父親殺し」の物語（pp.38～41）

ページ	語彙	読み	英語	中国語	韓国語
38	殺害する	さつがいする	to slay, murder	杀害	살해하다
	尊属	そんぞく	ancestor, ascendant	长辈亲属	존속
	年輩の	ねんぱいの	elderly	年长的，中年的	연배의
	襲いかかる	おそいかかる	to attack	袭击，承袭	습격하다，공격하다

ページ	語彙	読み	英語	中国語	韓国語
	見なす	みなす	to regard as, deem	看做	보다 , 간주하다
	理不尽な	りふじんな	unreasonable, outrageous	不讲理	도리에 어긋나는
	嘆かわしい	なげかわしい	lamentable	可叹，可悲	한심스럽다
	葛藤	かっとう	conflict, trouble	纠纷，纠葛	갈등
	統計的	とうけいてき	statistical	统计上	통계적
	提唱する	ていしょうする	to expound	提倡	제창하다
	想起する	そうきする	to recollect, be reminded of	想起（往事）	상기하다
	用いる	もちいる	to use, adopt, employ	使用，任用，采用	이용하다
	邪魔者	じゃまもの	nuisance	绊脚石；讨厌的人	방해자
	亡きもの	なきもの	something to be gotten rid of	亡者，死人	죽은 자
39	不能	ふのう	impossible	不能行，无能	불가능
	折り合いをつける	おりあいをつける	to come to terms with	调停，说和	타협하다
	文化人類学者	ぶんかじんるいがくしゃ	cultural anthropologist	文化人类学者	문화인류학자
	（興味を）惹く	ひく	to captivate	招惹，吸引，引起	(관심을) 끌다
	養父	ようふ	adoptive father	养父	양부
	死に絶える	しにたえる	to die out, become extinct	了绝死尽	멸종하다
	人食い	ひとくい	man-eating	咬人；食人	식인
	凄まじい	すさまじい	terrible, tremendous	可怕，惊人	무시무시하다
	犯す	おかす	to commit (a crime or sin)	犯，奸污	저지르다
	免れる	まぬかれる	to escape, be spared	免于，避免	면하다
	位	くらい	rank, position	地位；位数	위치
40	守護神	しゅごしん	guardian spirit, patron god	守护神	수호신
	納得する	なっとくする	to understand, be convinced	理解	납득이 가다
	境目	さかいめ	boundary, demarcation	界限，交接处	경계
	循環する	じゅんかんする	to circulate, move in a cycle	循环	순환하다
	浄化	じょうか	purification	净化	정화
	乗り越える	のりこえる	to surpass	越过，跨过	극복하다
	知恵	ちえ	wisdom, knowledge	智慧	지혜

6 「主人」から「夫」へ（pp.42～47）

ページ	語彙	読み	英語	中国語	韓国語
42	並み並みならぬ	なみなみならぬ	extraordinary	非凡，不寻常	평범하지 않은 , 비범한
	早々	そうそう	immediately, soon after	急忙，赶紧；刚刚……就	일찍
	事情	じじょう	circumstances	情况	사정
	退学する	たいがくする	to quit school	退学	퇴학하다
	向学心	こうがくしん	eagerness to learn	求知欲，上进心	향학심
	辛い	つらい	miserable	痛苦，难过	괴롭다
	あれこれする		to do this and that	想尽办法去做……	이것저것하다
	在学中	ざいがくちゅう	while enrolled in school	上学期间	재학중
	失明	しつめい	to go blind	失明	실명
	眼科	がんか	ophthalmological clinic	眼科	안과
	つきそう		to accompany, attend (a person)	陪侍	병수발을 들다
	放っておく	ほうっておく	to neglect, abandon	撒手不管	내버려두다
	看病	かんびょう	to take care of a sick person	照顾病人	간병
	交替する	こうたいする	to take turns, shifts	换班	교대하다
	度重なる	たびかさなる	repeated	反复，重复	거듭되다
	永遠の	えいえんの	eternal, forever	永远	영원한
	闇	やみ	darkness	黑暗	어둠
	こもる		to shut oneself up	充满，不流通	틀어박히다
	号泣	ごうきゅう	to lament, wail, weep bitterly	号啕	소리 높여 울
43	切りぬける	きりぬける	to pull through, overcome difficulty	摆脱，克服	극복하다
	盲	もう	blindness; blind	盲，看不见	장님
	挑戦する	ちょうせんする	to undertake, attempt; to challenge	挑战	도전하다
	ひたすら		ceaselessly, tirelessly	一味，只顾	한결같이
	支え	ささえ	support	支撑	도움 , 떠받침
	しょっちゅう		frequently, constantly	偶尔，有时	자주
	揶揄する	やゆする	to jeer, ridicule, deride	嘲笑，揶揄	놀리다 , 야유하다
	苦難	くなん	trouble, adversity	苦难	고난
	果て	はて	at the end of, after	边际，尽头；最后，结局	끝에
	親交を結ぶ	しんこうをむすぶ	to form a friendship	结成莫逆之交	친교를 맺다
	経歴	けいれき	background, personal history; career	经历	경력
	学歴	がくれき	academic record	学历	학력

ページ	語彙	読み	英語	中国語	韓国語
	皆無の	かいむの	nonexistent, absent	皆无	전무한
	聡明な	そうめいな	wise	聪明的	총명한
	取り組む	とりくむ	to grapple with, tackle, take on	致力，竭尽全力处理；互相扭住	맞붙다
	志	こころざし	will, sense of purpose	志向；盛情	뜻
	読み聞かせる	よみきかせる	to read aloud to	读给人听	읽어주다
	もてはやす		lionize, fuss over	高度评价，极力赞扬	극찬하다
	探究する	たんきゅうする	to search, seek; probe	探讨	탐구하다
	大作	たいさく	masterpiece, voluminous work	大作	대작
	せっせと		diligently, busily	一个劲儿地，拼命地	부지런히
	窮極的に	きゅうきょくてきに	ultimately	终极，归根结底	궁극적으로
44	それなりに		in one's own way	就那样，相应地	그 나름대로
	平凡な	へいぼんな	average, ordinary	平凡	평범한
	自力で	じりきで	through one's own efforts	自力，独力	자력으로
	双方	そうほう	both parties; mutual	双方	쌍방，양방
	対等の	たいとうの	equal	对等，平等	대등한
	及ぶ	およぶ	to be equal to	及，涉及，达到	넘다
	ひけをとらない		in no way inferior; able to hold one's own	不落后，不亚于……	뒤지지 않다
	姓	せい	family name, surname	姓	성
	生前	せいぜん	during one's lifetime, while alive	生前	생전
	本来的に	ほんらいてきに	originally	生来的	본래（적）으로
	仕える	つかえる	to serve	服侍，侍奉	모시다
	呼称	こしょう	name, term	称呼，称为；呼唱，呼号	호칭
	語源的な	ごげんてきな	etymological	语源上，词源上	어원적인
	失せる	うせる	to fade, disappear	丢失，消失；死亡	없어지다
	とりわけ		especially	特别，格外	특히
	こだわる		to be particular about	拘泥	구애되다
	とやかく言う	とやかくいう	to criticize, say all kinds of things about	说三道四	이러쿵 저러쿵 말하다
	おせっかい		officious	多管闲事，多事	쓸데없는 참견
45	もの言い	ものいい	phrasing, word usage	说话，异议，争论	말투
	口出し	くちだし	interfere, meddle	多嘴，插嘴	말참견
	改善	かいぜん	improvement	改善	개선
	よす		to stop, leave off	停止，作罢	그만두다
	言いかわす	いいかわす	to exchange opinions	互相说，互相问候	말을 주고 받다
	一段と	いちだんと	even more; a step	更加，越发，进一步	더욱
	配偶者	はいぐうしゃ	spouse	配偶	배우자
	連載	れんさい	serial publication	连载	연재
	随筆	ずいひつ	essay	随笔	수필
46	エッセイ		essay	随笔，散文集	수필，엣세이
	マンガチック		cartoonish	漫画式的，漫画风格	만화같다
	挿絵	さしえ	illustration	插图	삽화
	オットセイ		fur seal	海狗	물개
	わきに		beside, next to	腋下	옆에
	彫像	ちょうぞう	statue	雕像	조각상
	てのひら		the palm of the hand	手掌，掌心	손바닥
	躍る	おどる	to dance	跳舞，跳跃	춤추다
	とっぱらう		to get rid of	拆掉，拆除	치워버리다
	たもと		by, near	和服袖；旁侧	옆
	撤廃	てっぱい	to abolish, do away with	撤销，废除	철폐
	訴え	うったえ	complaint, claim	控告，控诉	호소，고소
	かかげる		to adopt (a slogan), raise (a flag)	悬挂，揭示	내세우다
	ハンスト		hunger strike	绝食斗争	단식 시위
	応援	おうえん	to cheer on, encourage, support	支援，声援	응원
	かけつける		to rush to (a person's side or a scene)	跑到，赶到	급히 달려오다
	スルッと		to slip out	滑动状（拟声）	자연스럽게
	耳にとめる	みみにとめる	to replay (something) in one's ears	留在心里	귀 담아 듣다
	平気な	へいきな	nonchalantly, unconcernedly	不在乎，不介意	아무렇지 않은
	相前後して	あいぜんごして	roughly contemporaneously	相继，先后	거의 동시에
	つれあい		spouse	伴侣，老伴	동반자
47	愉快な	ゆかいな	delightful, pleasant	愉快的	유쾌한
	忠実に	ちゅうじつに	faithfully, loyally	忠实	충실히
	誠実に	せいじつに	sincerely, honestly	诚实	성실하게

ページ	語彙	読み	英語	中国語	韓国語
	頻繁に	ひんぱんに	frequently, constantly	频繁	빈번하게
	敏感な	びんかんな	sensitive	敏感的	민감한
	いいかげんな		lax, not serious	马马虎虎，不彻底；适当，适可而止	엉터리인
7	**安楽死ということば（pp.48 ～ 53）**				
48	安楽死	あんらくし	euthanasia	安乐死	안락사
	老衰	ろうすい	senile, old and infirm	衰老	노쇠
	類する	るいする	to be similar to	类似，相似	비슷하다
	項目	こうもく	entry (in a dictionary)	项目	항목
	死に瀕する	しにひんする	to be hovering between life and death, facing death	濒临死亡	죽음에 임박하다
	死をもたらす	しをもたらす	to bring death	造成死亡	죽게 하다
49	先手を打つ	せんてをうつ	to forestall	先下手，先发制人	선수를 치다
	長足の進歩	ちょうそくのしんぽ	to make great strides	长足进步	장족의 발전
	手をつくす	てをつくす	to try every possible means	想尽一切办法	갖은 수단을 다 쓰다
	親密に	しんみつに	close, intimate	亲密	친밀히
	却って	かえって	if anything	反而，却	오히려
	多感な	たかんな	sensitive, impressionable	多感，善感	감수성이 예민한
	説	せつ	theory, view, school of thought	意见，主张，论点	설
	みなし児	みなしご	orphan	孤儿	고아
	企てる	くわだてる	to plan, scheme, attempt	企图，策划	기도하다
	ひと思いに	ひとおもいに	resolutely	一狠心，毅然决然	단숨에
	引き抜く	ひきぬく	to pull out	拔出，选拔，拉拔，争夺	뽑다
50	懇願する	こんがんする	to entreat, beseech	恳请，恳求	간청하다
	情	じょう	sentiment, feeling	情，感情，常情	정
	殺人罪に問われる	さつじんざいにとわれる	to be held guilty of murder	追究杀人罪，犯杀人罪受到起诉	살인죄로 추궁받다
	遠島	えんとう	exile; a remote island	远离陆地的岛屿	귀양
	見込	みこみ	chance, hope	预计，估计；希望，前途	가망
	承諾する	しょうだくする	to assent to, give consent	承诺，答应	승낙하다
	人情	にんじょう	kindheartedness, human feeling	人情	인정
	従来の	じゅうらいの	traditional, conventional	以往的，历来的	종래의
	道徳	どうとく	ethics	道德	도덕
	非とする	ひとする	to consider wrong, an error	认为不好，认为不对	그릇된 것으로 보다
51	一服盛る	いっぷくもる	administer the necessary dose (of poison)	下毒	독약을 조제하다
	慈悲	じひ	compassion, mercy	慈悲	자비
	見すごす	みすごす	turn a blind eye to	看漏；饶恕，放过	묵과하다
	患者	かんじゃ	patient	患者	환자
	切に	せつに	ardently, sincerely	诚恳，恳切	간절히
	素人	しろうと	layman; amateur	外行，门外汉	비전문가
52	暗示する	あんじする	to suggest, imply	暗示	암시하다
	無益な	むえきな	futile, useless	无益，没用	무익한
	延命	えんめい	to prolong one's life	延寿，延长生命	연명
	命を縮める	いのちをちぢめる	to shorten one's lifespan	损寿	수명을 단축시키다
	手をかりる	てをかりる	to get assistance from	借助，求助	손을 빌리다
	幇助	ほうじょ	to aid, abet	帮助，协助	보조
	頭から受けつけない	あたまからうけつけない	to reject completely	根本听不进，根本接受不了	전혀 받아들이지 않다
	自殺未遂	じさつみすい	failed suicide attempt	自杀未遂	자살 미수
	罰する	ばっする	to punish	惩罚	벌주다
	刃物	はもの	knife	刃具，利器	칼
	銃弾	じゅうだん	bullet	枪弹	총탄
	むごい		gruesome	残酷，狠毒；悲惨	비참하다
	惜しい	おしい	dear, precious; a pity to lose	可惜	아깝다
53	鬱病	うつびょう	clinical depression	抑郁症	우울병
	症状	しょうじょう	symptom	症状	증상
	思い至る	おもいいたる	to realize	想到	생각이 미치다
8	**わすれ傘（pp.54 ～ 67）**				
54	ランドセル		satchel, backpack	小学生书包	란도셀（초등학생용 가방）
	ゴソッと		muffled sound of something moving (onomatopoeia)	唰地一声（象声词）	덜커덕，부스럭
	雨があがる	あめがあがる	to stop raining	雨停了	비가 그치다

ページ	語彙	読み	英語	中国語	韓国語
	いったん		for a time, once	暂时，万一；既然	일단
	どなる		to shout	大声喊	소리치다
	ぬぎすてる		to cast off (an article of clothing)	脱下丢在一边不管，脱下扔掉	벗어던지다
	手さぐりで	てさぐりで	to grope for, feel one's way	摸索	손으로 더듬어
	傘立て	かさたて	umbrella stand	伞架	우산꽂이
	柄	え	handle	柄，把	자루
	花柄	はながら	floral pattern	花纹，花样	꽃무늬
55	大ぶりな	おおぶりな	downpour	大抡，大甩	(비가) 세차게 쏟아지는
	バサッと		to snap open (onomatopoeia)	咔嚓	활짝
	放課後	ほうかご	after school	放学后	방과후
	ごったがえす		to throng, be in a state of confusion	乱七八糟，乱哄哄	붐비다
	通用口	つうようぐち	side gate, side door	便门	통용출입구
	ふりかえる		to turn around, look back	调换；转帐	되돌아보다
	上目づかいに	うわめづかいに	upturned glance; to look up at someone	向上翻眼珠	눈을 치뜨고
	にらみつける		to glare at	瞪眼，怒目而视	노려보다
	にらみかえす		to glare back at someone	回瞪对方	같이 노려보다
	札	ふだ	tag	牌子，飞子	이름표
	涙をためる	なみだをためる	to have one's eyes tear up	含泪	눈물을 글썽이다
	こくんとする		to nod one's head	首肯，顺应	끄덕이다
56	とびかかる		to spring, lunge at, throw oneself on (someone)	猛扑上去	달려가다
	ほうりなげる		to fling, throw	抛，扔；弃而不顾	집어던지다
	ちらりと		to glance at	一闪一晃	흘끗
	カウンター		counter (at a bar or restaurant)	收款处，计数器	카운터
	ひっこむ		to withdraw	退居，畏缩	들어가다
	薬味	やくみ	spice, condiment	佐料	양념
	ゆげがあがる		to give off steam	锅开了	김이 나다
	だしがつお		bonito (for making fish broth)	鲣鱼汤汁	국물용 가다랑어포
	こんぶ		kelp	海带	다시마
	いりまざる		to mingle, mix together	杂烩，杂炒	섞이다
57	ぶすっと		sullenly (onomatopoeia)	拉着脸；噘着嘴	무뚝뚝하게
	もめる		to squabble	发生争执	싸우다
	まさか		surely you didn't-did you?	难道	설마
58	ごしごしと		to rub hard, scrub (onomatopoeia)	刷东西的声音	쓱쓱
	裏通り	うらどおり	back alley	后街，后巷	뒷골목
	開通	かいつう	to open, begin service (roads, railroads, etc.)	开通	개통
	開発中	かいはつちゅう	under construction, being developed	正在开发	개발중
	常連客	じょうれんきゃく	regular customers	常客，老顾客	단골손님
	きげんよく		in a good mood, good spirits	心情很好	기분 좋게
	おくりだす		send off	寄出，送出，打发出去	배웅하다
	つぼ		jug, jar, pot	壶，罐，坛	요점
	まぎれる		to get mixed in accidentally	混同，混杂	섞이다
	すきま		gap, opening, crack	缝隙	틈 , 사이
59	視線	しせん	one's gaze	视线	시선
	首をかしげる		to cock one's head (in confusion or disbelief)	歪着头；倾听	고개를 갸웃하다
	工事現場	こうじげんば	construction site	工地，工程现场	공사현장
	クレーン車	クレーンしゃ	crane truck	起重机，吊车	크레인차
	寸前に	すんぜんに	right before	临到眼前，临近	직전에
	どしゃぶり		downpour	倾盆大雨	폭우
	ひどい目にあう		to have a rough time	吃亏，倒大霉	(비를 심하게 맞아서) 끔찍한 꼴을 당하다
60	かけこむ		to rush into, run	跑进	뛰어 들어오다
	すぼめる		to close (umbrellas, flowers)	使……窄小，缩小	접다
	つきだす		to thrust forward	推出去，猛力推出	들이대다
	あざやかな		bright, colorful	鲜艳，漂亮	산뜻한
	色合い	いろあい	coloring, hue	色调	색상
	ひとあし先に	ひとあしさきに	ahead of time, a little before	先行一步	한발 먼저
	ぱあっと		in grand style (onomatopoeia)	一下子	확
	目につく	めにつく	to catch one's eye	引人注目	눈에 들어오다
	おれ		I, me (macho male expression)	俺	나 , 자기
	どうせなら		might as well; while one's at it	反正，总之	이왕이면

ページ	語彙	読み	英語	中国語	韓国語
	花束	はなたば	bouquet	花束	꽃다발
	参観日	さんかんび	observation day (at school)	参观日	참관일
	はりつく		to cling to	贴上	달라붙다
	ぶらさがる		to dangle, hang	吊着，悬	매달리다
	リハーサル		rehearsal	彩排	리허설
61	横たわる	よこたわる	to lie ahead; lie down	躺下	가로놓이다
	力を合わせる	ちからをあわせる	to work together	团结一致，齐心协力	힘을 모으다
62	裏口	うらぐち	back door	后门，便门	뒷문
	でむかえ		to greet	迎接	마중
	すまん		sorry (casual; usually used by men)	对不起	미안
	しずくをはらう		to shake off drops of water	掸掉雨珠	물방울을 털어내다
	土間	どま	anteroom with an earthen floor	土地房间	봉당
	仕切り	しきり	partition	隔板	칸막이
	ほっとする		to feel relieved	放松，松了一口气	안심하다
	たのみごと		request	托付的事，求人的事	부탁
	めし		food, grub	饭	식사
	栓をぬく	せんをぬく	to uncork	拔掉塞子	마개를 따다
	かるく、いっぱい		light draft (of alcohol)	少倒一点	가볍게 한잔
	そらまめ		broad bean	蚕豆	누에콩
	つまむ		to eat a drinking snack with one's fingers; pick, pinch	抓	집어먹다
63	わん		bowl	碗	그릇
	あがりがまち		piece of wood running along the front edge of the entranceway floor	日式房间门口的横框	마루 끝
	首をふる	くびをふる	to shake one's head	摇头，拒绝	고개를 젓다
	べそをかく		to sob, blubber	哭鼻子，小孩要哭	울상이 되다
	ぼうず		brat, kid	男孩子	꼬마
64	街灯	がいとう	street light	街灯	가로등
	風にあおられる	かぜにあおられる	whipped by the wind	被风掀起	바람에 날리다
	ふきとばす		blown about, blown away	吹跑	불어 날려버리다
	思いきって	おもいきって	bravely, daringly; to take the plunge	下决心，大胆地	작정하고
	威勢がいい	いせいがいい	in high spirits, energetic, vigorous	富有朝气，精神很足，有勇气	기운찬
	のれんをかきわける		to push aside a shop curtain	分开屋门框上挂着的门帘	발을 좌우로 밀어해치다
	たじろぐ		to shrink back, quail, recoil	畏缩，向后退	움츠러들다
65	かんちがいする		to jump to a wrong conclusion, get the wrong idea	判断错误，误会	착각하다
	頭をさげる	あたまをさげる	to bow one's head, apologize	低下头；认错	머리를 숙이다
	目をやる	めをやる	to look toward	向……地方看	보다
	いってきかせる		to persuade, admonish, reason with	说给对方听	타이르다
	アカンベエをする		to stick out one's tongue	做鬼脸	메롱하며 혀를 내밀다
	天井	てんじょう	underside of an umbrella; ceiling	天花板	천정
	(傘の)骨	ほね	ribs of an umbrella; bone	伞骨	우산 살
	布	ぬの	cloth	布	천
	まきつける		wrapped around, wrapped onto	缠上，卷住	휘감다
66	いいかえす		to talk back, retort	反复说	말대답을 하다
	やつ		fellow, guy; knave	这小子	놈，녀석
	目をしばたく	めをしばたく	to blink one's eyes	直眨眼	눈을 깜박거리다
	9 リーダーシップ論（pp.68～82）				
68	リーダーシップ		leadership	领导作用	리더쉽
	心得	こころえ	knowledge, understanding, experience; pointers	规章，守则	마음가짐
	役割	やくわり	role	作用	역할
	組織	そしき	organization	组织	조직하다
	設定する	せっていする	to set, establish, institute	设定	설정하다
	分配する	ぶんぱいする	distribute	分配	분배
	上役	うわやく	superior, boss	上司，上级	상사
	ポジション		position	位置，身份	포지션
	いかんにかかわらず		regardless	虽说不行，尽管不行	어떻나에 상관없이
	方針	ほうしん	policy, plan	方针	방침
	かき立てる	かきたてる	to soar, tower, rise	挑起，引起	불러일으키다
	各自	かくじ	each individual	各自	각자

ページ	語彙	読み	英語	中国語	韓国語
	任せる	まかせる	to entrust, leave something to someone	委托	맡기다
	おのずから		naturally, of itself	自然而然	자연히
69	務め	つとめ	duty, mission	任务，责任	임무
	要は	ようは	the essential point, the main thing	总之	요컨데
	最小限の	さいしょうげんの	minimum	最低限度的	최소한의
	自己判断	じこはんだん	one's own judgment	自己来判断	자기판단
	自主管理能力	じしゅかんりのうりょく	ability to manage oneself, self-control	自己主动参与管理的能力	자기관리능력
	施す	ほどこす	to administer, provide; try	施舍，施加	시행하다
	幅の広い仕事	はばのひろいしごと	broad assignment	范围面儿很宽的工作	범위가 넓은 일
	一から十まで	いちからじゅうまで	completely, from start to finish	从一到十	하나부터 열까지
	勝手に	かってに	as one sees fit, as one likes	情况；随便，任意	마음대로
	放っておく	ほうっておく	to abandon, neglect	放下不管	내버려두다
	陰ながら見守る	かげながらみまもる	to watch over discreetly	暗中支援	보이지 않는 곳에서 지켜보다
	ヒント		hint	启示，暗示，启发	힌트
	損なう	そこなう	to damage, spoil, ruin	损失	상하게 하다
	助言	じょげん	advice, counsel	提建议	조언
	役割を果たす	やくわりをはたす	to fulfill one's duty, accomplish one's mission	起作用	구실을 다하다
70	成就	じょうじゅ	accomplishment, fruition	成功，实现	성취
	狂う	くるう	to get off course, be frustrated; go mad	发疯，疯狂；出毛病	차질이 생기다
	対処できる	たいしょできる	to be able to deal with	应付，应对	대처하다
	情勢	じょうせい	situation, circumstances	形势	정세
	臨機応変	りんきおうへん	as the situation demands	临机应变	임기응변
	術	すべ	technique, way	方法，办法	수단
	腕の見せ所	うでのみせどころ	a chance to show one's skill	最拿手的地方	실력을 보여 줄 기회
	感知する	かんちする	perceive, sense	察觉，感知	감지하다
	的確な	てきかくな	appropriate, on the mark	正确，准确	정확한
	手を打つ	てをうつ	take measures	采取措施	손을 쓰다
	ひいては		not only...but...as well	进而，进一步说	더 나아가서
	禍い転じて福となす	わざわいてんじてふくとなす	to convert misfortune into good luck	因祸得福	전화위복
	処置	しょち	measures	处置	처치
	あわてふためく		to panic, be flustered	惊慌失措，手忙脚乱	당황하여 허둥거리다
	費やす	ついやす	to waste	花费，耗费	허비하다
	平常心	へいじょうしん	calm, cool, presence of mind	平常心	평상심
	事にあたる	ことにあたる	to run into trouble	干事，做某项工作	일을 처리하다
	柔軟に	じゅうなんに	flexible	柔软	유연하게
	名案	めいあん	good idea, clever solution	好办法，好主意	명안
	植えつける	うえつける	to instill	移栽，移植；灌输	심어놓다
	目指す	めざす	to aim for	以……为目标	목표로 하다
	熾烈な	しれつな	intense, fierce	白热化，激烈	치열한
71	舞台	ぶたい	stage, setting	舞台	무대
	闘い	たたかい	contest, battle, struggle	战斗	승부
	くりひろげた		unfold, develop, put on (a show)	开展，展开	벌인
	ゆうゆうと		with ease, in a leisurely manner	不慌不忙	유유히
	いちばん乗り	いちばんのり	the first to arrive	最先骑马冲进敌阵；先，第一个	맨 먼저 도달함
	帰途	きと	return journey	归途	귀로
	悲劇	ひげき	tragedy	悲剧	비극
	見舞われる	みまわれる	to be struck by, meet with (misfortune)	遭受，发生	당하다
	軍人	ぐんじん	military man, soldier	军人	군인
	英雄	えいゆう	hero	英雄	영웅
	讃える	たたえる	to hail, revere, praise	赞扬，称赞	칭송하다
	全貌	ぜんぼう	full picture, scope	全貌	전모
	当を得た	とうをえた	proper, appropriate, to the point	……得恰当	타당한
	意義深い	いぎぶかい	meaningful	意义很深，意义深远	의의가 깊다
	机上	きじょう	desktop, armchair (explorer)	桌上	탁상，이론가
	期待に応える	きたいにこたえる	to meet one's expectations	不辜负……	기대에 부응하다
72	運命論	うんめいろん	fatalism	宿命论	운명론
	片づける	かたづける	to dismiss, put away	收拾，整理	정리하다
	分岐点	ぶんきてん	turning point, junction, crossroads	分歧点，分岔点	분기점
	決断	けつだん	decision	决断	결단
	ささいな		trifling, trivial	琐细，细小	대수롭지 않은

ページ	語彙	読み	英語	中国語	韓国語
	致命的な	ちめいてきな	fatal	致命的	치명적인
	打撃	だげき	blow	打击	타격
	あたかも		as if	恰似	마치
	レール		rail	轨道	레일
	ポイント		switch (of train tracks)	点	포인트
	センチ		centimeter	厘米	센티미터
	キロ		kilometer	公里；公斤	킬로미터
	悪循環	あくじゅんかん	vicious cycle	恶性循环	악순환
	招く	まねく	to invite, provoke	招，招呼，招待	초래하다
	貧すれば鈍する	ひんすればどんする	poverty dulls the wit	贫穷使人品行不端脑子笨	가난하면 사리 판단도 어두워진다
	トントン拍子に	トントンびょうしに	smoothly, rapidly	一帆风顺	순조롭게
	背景	はいけい	background, context	背景	배경
	情熱	じょうねつ	passion	热情，激情	정열
	志す	こころざす	to aim for, aspire to	立志，志向	지망하다
73	心を奪われる	こころをうばわれる	to be captivated by, have one's imagination captured by	迷恋，贪恋	마음을 빼앗기다
	夢見る	ゆめみる	to dream of	做梦	꿈꾸다
	全力を注ぎ込む	ぜんりょくをそそぎこむ	to give something one's all	倾注全力	전력을 투입하다
	実地	じっち	implementation; field exercises	实施，实行	실시
	体験をつむ	たいけんをつむ	to build experience	积累经验	체험을 쌓다
	強じんな	きょうじんな	tough, strong, tenacious	坚韧，刚强	강인한
	鍛練	たんれん	training, discipline	锻炼	단련
	怠る	おこたる	to neglect to do	懒惰，怠慢	게을리하다
	お膳立てする	おぜんだてする	to prepare, set up	备餐，准备饭菜	준비하다
	時点	じてん	point (in time)	时间，时候，现阶段	시점
	心構え	こころがまえ	mental attitude, readiness	精神准备，思想准备	마음가짐
	素質	そしつ	talent, potential	素质	소질
	生まれながらの	うまれながらの	inborn	生来具备的	타고나는
	たゆまない		indefatigable, tireless	不松懈，坚持	한결같은
	運営	うんえい	management	运营，经营	운영
	仕方	しかた	method, approach	方法，办法	방법
	運命を分ける	うんめいをわける	to cause a divergence of fates	划分命运	운명을 가르다
	士気	しき	morale	士气	사기
	一挙手一投足	いっきょしゅいっとうそく	one's every movement	一举一动	일거수일투족
	左右する	さゆうする	to determine, influence	左右，控制	좌우하다
	常に	つねに	at all times, ceaselessly	经常	항상
	打てば響く	うてばひびく	to respond quickly, learn well	马上会有反应，马上会有结果	금방 반응이 나타나다
	細心の注意を払う	さいしんのちゅういをはらう	pay meticulous attention to	要特别小心	세심한 주의를 기울이다
	事にあたる	ことにあたる	to deal with, handle	从事某项工作，干活	대처하다
74	敗北	はいぼく	defeat	失败，败北	패북
	根本的な	こんぽんてきな	fundamental	根本上	근본적인
	海軍	かいぐん	navy	海军	해군
	将校	しょうこう	officer	将校	장교
	階級制度	かいきゅうせいど	ranking system, class system	级别制度，军衔制度	계급제도
	ひたすら		solely	一个劲儿地	오로지
	従順な	じゅうじゅんな	obediently	顺从的	순종적인
	忠実に	ちゅうじつに	faithfully, loyally	忠实	충실히
	意義	いぎ	meaning, significance	意义	의의
	恐怖感	きょうふかん	sense of fear	恐怖感	공포감
	脅かす	おびやかす	to threaten	威胁	위협하다
	はなはだしい		extreme, intense	甚而，甚，非常	격심한
	疲労	ひろう	exhaustion	疲劳	피로
	自主性	じしゅせい	initiative	自主性	자주성
	尊重する	そんちょうする	to respect, value	尊重	존중하다
	チームワーク		teamwork	协同作业，团队精神	팀워크
75	意欲	いよく	motivation, drive	热情，干劲	의욕
	原動力	げんどうりょく	driving force	动力	원동력
	体得する	たいとくする	master, learn through implementation	体会，领会	체득하다
	提案	ていあん	proposal	建议	제안
	募集する	ぼしゅうする	to invite, recruit	征募	모집하다
	思慮	しりょ	consideration, discretion, prudence	考虑，思虑	사려

ページ	語彙	読み	英語	中国語	韓国語
	参画	さんかく	participation	参与策划	참획 , 참여
	発揮する	はっきする	to demonstrate one's ability	发挥	발휘하다
	そもそも		after all; from the start	原来，最初，开端	무릇
	徹底する	てっていする	focus; thoroughness	彻底	철저하다
76	攻撃隊	こうげきたい	attack team, team to attempt (a feat)	攻击队	공격대
	いきさつ		the way something comes about	原违，原因；底细，内情	경위
	はずす		to dismiss, disqualify, remove	拆，取下	제외하다
	補強	ほきょう	reinforcement	加固	보강
	策	さく	strategy	办法，策略，方案	방책
	ソリ		sled, sleigh	翘曲，弯度	썰매
	身にしみつく	みにしみつく	to become ingrained, accustomed	沾在身上，沾染上	몸에 배다
	パターン		pattern	式样，模式，过程	패턴
	ぎごちなさ		awkwardness	笨拙的样子，不灵活	어색함
	燃料	ねんりょう	fuel	燃料	연료
	居住性	きょじゅうせい	livability	居住条件	거주성
	(影響が) 及ぶ	およぶ	to extend to, include	及，涉及，达到	(영향이) 미치다
	目に見える	めにみえる	to be a foregone conclusion	看到，渐渐看到	뻔하다
	踏む	ふむ	to step on, tread on	踩，踏；根据	밟다
	人情	にんじょう	kindheartedness, human feeling	人情	인정
	水兵	すいへい	sailor	水兵	해병
77	衰え	おとろえ	weakening	衰弱，衰老	쇠약
	誤り	あやまり	error, mistake	错，错误	착오
	犯す	おかす	to commit (an error, crime, sin, etc.)	犯	저지르다
	あわて者	あわてもの	hasty person	冒失鬼	덜렁이
	軽率さ	けいそつさ	irresponsible, rash	轻率，疏忽，草率	경솔함
	運搬	うんぱん	transportation	搬运	운반
	主力	しゅりょく	main power or strength	主力	주력
	未熟な	みじゅくな	immature	不成熟的	미숙한
	たまたま		just happened to	有时，偶尔	우연히
	そもそも		from the start	本来，原来，最初	원래
	統計的	とうけいてき	statistical	统计上	통계적
	過誤	かご	mistake, negligence	过失，错误	과오
	戒める	いましめる	to admonish, warn	劝诫	경고하다
	試す	ためす	to try (something out)	尝试，试	시험하다
	慎む	つつしむ	to be careful to; to avoid	谨慎，慎重	삼가하다
78	併用する	へいようする	to use two methods jointly	并用	병용하다
	事前の	じぜんの	ahead of time	事前	사전의
	迷い心	まよいごころ	indecision	迷恋，贪恋	망설이는 마음
	非難する	ひなんする	to criticize	指责，谴责，责难	비난하다
	確信	かくしん	confidence, conviction, certainty	确信，坚信	확신
	万事	ばんじ	everything	万事	만사
	中途半端	ちゅうとはんぱ	half-baked, half-hearted	不完善，不彻底；半途而废	어중간함
	修理する	しゅうりする	to repair	修理，维修	수리하다
	食糧	しょくりょう	food supplies	粮食	식량
	きりがない		endless	没有完了	끝이 없다
	敗因	はいいん	reasons for failure	败因	패인
	判断ミス	はんだんミス	error in judgment	判断失误	판단미스
	うっかりミス		careless mistake	疏忽	무심코 저지른 실수
	工夫	くふう	idea, inventiveness	设法，想办法，找窍门	궁리
	欠乏	けつぼう	shortage	缺乏	결핍
	凍傷	とうしょう	frostbite	冻伤	동상
79	惨事	さんじ	tragedy, calamity	不幸事件，车祸等	참사
	ブリキ缶	ブリキかん	tin can	钢制饮料罐	함석 캔
	口金	くちがね	metal cap, lid, clasp	金属盖状物，灯口，瓶盖等	뚜껑의 물림쇠
	チェックする		check	确认，检查	체크하다 , 확인하다
	駄目	だめ	useless, ineffective	不行，不可能	안 됨
	促す	うながす	to urge	催促，促使	촉구하다
	仕込む	しこむ	to instill	教育，训练；采购，买进	가르치다
	真剣さ	しんけんさ	seriousness	认真劲儿	진지함
	担う	になう	to bear (responsibility)	担任，担负，责任	짊어지다
	延長	えんちょう	extension	延长	연장

ページ	語彙	読み	英語	中国語	韓国語
	未知の	みちの	unknown	未知的	미지의
	不安顔	ふあんがお	worried look	看上去令人担心的面容	불안한 얼굴
	つのる		to increase	越来越厉害	더해지다
	取りこし苦労	とりこしぐろう	over-anxiousness, premature worry	杞人忧天，自寻苦恼	쓸데없는 걱정
	楽観的な	らっかんてきな	optimistic	乐观的	낙관적인
	信仰心	しんこうしん	sense of faith, trust	虔诚，信仰之心	신앙심
80	対処する	たいしょする	to deal with, handle	应付，应对	대처하다
	啓示	けいじ	revelation	启示，教导	계시
	苦境	くきょう	hardship, adversity	苦境，窘境	곤경
	おちいる		to fall into, come across	陷入	처하다
	知恵	ちえ	wisdom	智慧	지혜
	授かる	さずかる	to be blessed with	被授予，被赐予，被赋予	내려주시다
	すっと		quickly, smoothly	迅速地，轻快地	후련하게
	くよくよ		to mope	想不开，闷闷不乐，忧心忡忡	끙끙
	過ち	あやまち	mistake, transgression	过失，错误	잘못
	改むる	あらたむる	to amend (classical)	改正，纠正	고치다
	憚る	はばかる	to hesitate	忌惮，顾及，怕	주저하다
	無言	むごん	tacit, silent, speechless	不说话，沉默	무언
	一丸となる	いちがんとなる	to unite, act as a body	协同合作，全力以赴	하나로 뭉치다
	嬉々として	ききとして	happily, merrily	乐意，愿意，高兴地	희희낙낙하며
	旅立ち	たびだち	to set off on a journey	出发，起身	여행을 떠남
81	先を越す	さきをこす	to get ahead of someone else	越过前者	앞지르다
	一トン	いっトン	one ton	一吨	일톤
	敗れる	やぶれる	to fail, lose	败北，打输	패하다
	初代	しょだい	the founder, the first	第一代	초대
	創業主	そうぎょうぬし	founder	创业者，打江山的人，挖井人	창업주
	名実ともに	めいじつともに	in name and fact	名副其实	명실상부한
	雇われサラリーマン	やとわれサラリーマン	hired white-collar worker	受人雇佣的靠工资生活的人	고용된 월급쟁이
82	手探り	てさぐり	to grope, feel one's way	摸索	손으로 더듬음
	冒険的な	ぼうけんてきな	adventurous	冒险	모험적인
	探検的な	たんけんてきな	exploratory	探险	탐험적인
	多分に	たぶんに	plentifully	多，大量	다분히
	地域	ちいき	region	地区，地方	지역
	臨む	のぞむ	to attempt, tackle	面临，面对	임하다
	指針	ししん	guiding principle	指南，方针	지침

10 魚の骨（pp.84～88）

ページ	語彙	読み	英語	中国語	韓国語
84	耳鼻咽喉科	じびいんこうか	ear, nose and throat specialist	耳鼻喉科	이비인후과
	かかりつけ		regular (doctor)	经常就诊，固定医生看病	단골
	待合室	まちあいしつ	waiting room	候诊室	대합실
	薄暗さ	うすぐらさ	half-light	发暗的，微暗的	약간 어두움
	隅々	すみずみ	the corners; every nook and cranny	各个角落，所有地方	구석구석
	戸惑う	とまどう	to be perplexed, hesitate	徘徊，不知所措	어리둥절해 하다
	問診	もんしん	detailed questioning of patients	问诊	문진
	やりとり		exchange, interaction	互换，互赠；交锋	대화
	一部始終	いちぶしじゅう	from start to finish	从头到尾，源源本本	자초지종
	プライヴァシー		privacy	隐私	프라이버시
	寡黙な	かもくな	taciturnity, reticence	沉默寡言	과묵한
	舌が回る	したがまわる	eloquent, loquacious, glib	口齿流利	말을 잘하다
	つるつるした		smooth	光，精光；滑溜	거침없고 부드럽다
	雰囲気	ふんいき	atmosphere	气氛，氛围	분위기
85	刺さる	ささる	to get stuck (used of sharp objects)	扎，刺，扎进，刺入	걸리다，박히다
	おや		oh?	"呀"的一声	어머
	聞き耳を立てる	ききみみをたてる	to prick up one's ears	倾听，认真听	귀를 기울여 듣다
	スズキ		sea bass	鲈鱼	농어
	容易な	よういな	easy	容易的	용이한
	硬さ	かたさ	hardness	坚硬	경도，딱딱함
	カルテ		medical chart, case record	病历	카르테
	備えつける	そなえつける	to keep available, maintain	配备	비치하다
	サバ		mackerel	青花鱼，鲐巴鱼	고등어

ページ	語彙	読み	英語	中国語	韓国語
	アジ		horse mackerel	鲹科鱼	전갱이
	かんじんの		vital, important	关键的，首要的	중요한
	念のため	ねんのため	just to be sure	为慎重起见	만약을 위해
	内視鏡	ないしきょう	endoscope	内视镜	내시경
86	放免する	ほうめんする	to release, discharge	释放	방면하다
	羽目になる	はめになる	to wind up	陷入困境	처지가 되다
	めぐり合わせ	めぐりあわせ	twist of fate	机缘，命运	팔자
	あらかじめ		ahead of time, already	预先，事先	미리，사전에
	抑える	おさえる	to restrain	押制	억누르다
	タイ		sea bream	加级鱼，大头鱼	도미
	魚偏	うおへん	fish radical (of kanji)	偏旁一鱼	고기어변（한자의 부수）
	ひとりごつ		to talk to oneself	自言自语	혼잣말을 하다
	語録	ごろく	book of sayings	语录	어록
	ごめんだ		to refuse to do	许可；请原谅	사양하다
	深々と	ふかぶかと	deeply, deep down	深深地	깊숙히
	歓声を上げる	かんせいをあげる	to give a cry (of delight)	发出欢声	탄성을 지르다
87	そうっと		gently (onomatopoeia)	悄悄地，轻轻地	조심스레
	ピンセット		tweezers	镊子	핀셋
	抜き取る	ぬきとる	to pull out	拔出	빼내다
	しげしげ		fixedly	屡次，频繁	유심히
	バレる		to get found out	暴露，败露	들키다
	でかい		big, large (colloquial)	很大，巨大	크다
	呟く	つぶやく	to mutter	嘟哝，嘟囔	중얼거리다
	標本	ひょうほん	sample, exhibit (used of plants and animals)	标本	표본
	こしらえる		to put together, make	制作，做	만들다
	同行	どうこう	to accompany	同行，一起去	동행
	難儀する	なんぎする	to struggle, suffer	左右为难	고생하다
	買って出る	かってでる	to volunteer	主动承担	자청하다
	けだもの		hairy beast	兽类，畜牲	짐승
	くだん		the aforementioned	那件事	（그）
	大げさな	おおげさな	overblown, excessive	夸大，夸张	과장된
88	ふっくらした		soft, plump	松软，丰满	포동포동한
	感触	かんしょく	touch	感触	감촉
	断言する	だんげんする	to assert, declare	断言	단언하다
	黙する	もくする	to hold one's tongue	沉默，默默	입을 다물다
11	**痛いといわなければ、痛くないのと同じです（pp.90～97）**				
90	発作	ほっさ	attack, spasm, seizure	发作	발작
	めまい		vertigo	眩晕	어지러움
	嘔吐	おうと	nausea	呕吐	구토
	七転八倒する	しってんばっとうする	writhe in agony	疼的栽倒打滚	칠전팔도하다
	慢性の	まんせいの	chronic	慢性的	만성의，만성적인
	疼痛	とうつう	sharp pain	疼痛	동통
	必要不可欠な	ひつようふかけつな	necessary, indispensable	不可或缺的，不可缺少的	필요불가결한
91	症候群	しょうこうぐん	syndrome	综合病症，合并症状	증후군
	小児科医	しょうにかい	pediatrician	儿科医生	소아과의
	神経の	しんけいの	nerve	神经	신경의
	近縁	きんえん	near relation	近亲	근친
	痛覚	つうかく	sense of pain	痛觉	통각
	遺伝	いでん	genetic	遗传	유전
	外傷	がいしょう	external injury, trauma	外伤	외상
	不調	ふちょう	poor condition	不舒服，不适	부조
	シグナル		signal	信号；亮红灯	시그널
	釘	くぎ	nail	钉子	못
	火傷	やけど	burn	烧伤，烫伤	화상
	骨折	こっせつ	broken bone	骨折	골절
	感染する	かんせんする	to become infected	感染	감염되다
	化膿する	かのうする	to suppurate, fester	化脓	화농하다
	気を配る	きをくばる	to take good care of	劳神，费心	신경을 쓰다
	内科医	ないかい	internal medicine specialist	内科医生	내과의
	聡明な	そうめいな	wise, bright	聪明的	총명한

ページ	語彙	読み	英語	中国語	韓国語
	精密な	せいみつな	minute, close	精密的	정밀한
	なすすべがない		to have nothing that can be done	无药可救	어찌할 방법이 없다
	注意をはらう	ちゅういをはらう	to pay attention to	小心，注意	주의를 기울이다
	怪我	けが	injury	伤；受伤，负伤	상처，부상
	障害	しょうがい	disability, handicap	障碍	장해
	体重をかける	たいじゅうをかける	to put one's weight on (a foot)	压上体重，重心放在	체중을 싣다
92	寝返りをうつ	ねがえりをうつ	to turn over in one's sleep	翻身	잘 때 뒤척이다
	関節	かんせつ	joint	关节	관절
	負担がかかる	ふたんがかかる	to be strained, damaged; burdened	增加负担	부담이 가다
	炎症	えんしょう	inflammation	炎症	염증
	損傷する	そんしょうする	to damage	损伤	손상되다
	阻害	そがい	blockage	阻碍	저해
	壊死する	えしする	to become necrotic	坏死	괴사하다
	菌	きん	bacteria	菌	균
	外傷を負う	がいしょうをおう	to suffer a traumatic injury	负外伤	외상을 입다
	膝	ひざ	knee	膝	무릎
	大腿骨	だいたいこつ	femur	大腿骨	대퇴골
	脊椎	せきつい	spine	脊椎	척추
	外科	げか	surgery	外科	외과
	骨髄	こつずい	bone marrow	骨髓	골수
	末梢神経	まっしょうしんけい	peripheral nerves	末梢神经	말초신경
	中枢神経	ちゅうすうしんけい	central nerves	中枢神经	중추신경
	患者	かんじゃ	patient	患者	환자
	苛む	さいなむ	to torment, torture	折磨，虐待	괴롭히다
	地獄	じごく	hell	地狱	지옥
	盲点	もうてん	blind spot	盲点	맹점
	刺激	しげき	stimulus	刺激	자극
	末端	まったん	end, tip	末端	말단
93	視床	ししょう	thalamus	视丘，脑之底节	시상
	皮質	ひしつ	cortex, cortical layer	皮质	피질
	放射する	ほうしゃする	to radiate, emanate	放射	방사하다
	センター		center	中心，中心地	센터
	とりのぞく		to remove	除去，除掉	제거하다
	大脳皮質	だいのうひしつ	cerebral cortex	大脑皮质	대뇌피질
	感覚野	かんかくや	sensory area	感觉领域	감각령
	領域	りょういき	area, realm, field	领域	영역
	関与する	かんよする	involvement, participation	与……有关	관여하다
	壮大な	そうだいな	grand, magnificent, imposing	壮大的	장대한
	映像	えいぞう	image	映像	영상
	叙事詩	じょじし	epic (poem)	叙事诗	서사시
	冒頭	ぼうとう	beginning, opening scene	起首，开头	서두
	創傷	そうしょう	wound	创伤	상처
	兵士	へいし	soldier	兵士	병사
	野戦	やせん	field battle	野战	야전
	テント		tent	帐篷	텐트
	容赦なく	ようしゃなく	mercilessly, ruthlessly	不可饶恕	가차없이
	切断する	せつだんする	amputation	切断	절단하다
	銃弾	じゅうだん	bullet	枪弹	총탄
	不鮮明に	ふせんめいに	blurry, hazy, unclear	不鲜明	불선명하게
94	箇所	かしょ	location, place	部位，地方	자리，부분
	誘発する	ゆうはつする	induce, trigger	诱发	유발하다
	排尿	はいにょう	urination	排尿	배뇨
	排便	はいべん	elimination (of stools)	大便，解大便	배변
	口論する	こうろんする	argue	口角，争吵	말다툼하다
	動揺する	どうようする	to be agitated	不安，动摇	동요하다
	腫	しゅ	neuroma	囊肿，浮肿，肿	종
	伝達経路	でんたつけいろ	transmission pathway	传导路线	전달경로
	貫通	かんつう	piercing (bullet wound); transfixion	贯通	관통
	灼熱	しゃくねつ	burning (sensation)	灼热	작열
	傷跡	きずあと	scar	伤痕	상처자국
	あぶる		to roast, scorch	烤，烘	태우다

ページ	語彙	読み	英語	中国語	韓国語
95	身動きする	みうごきする	movement (of body)	活动身体	움직이다 , 꼼짝하다
	基地	きち	(military) base	基地	기지
	発着する	はっちゃくする	take off and landing (of airplanes)	出发和到达	발착하다
	悲鳴をあげる	ひめいをあげる	to scream	惨叫	비명을 지르다
	入力する	にゅうりょくする	to input	输入	입력하다
	つかさどる		to control, preside over	掌管	지배하다
	気のせい	きのせい	psychosomatic	心理作用	기분탓
	標榜する	ひょうぼうする	to profess, stand for; advocate	标榜	표방하다
	メカニズム		mechanism	机械装置	메커니즘
96	麻酔する	ますいする	to anesthetize	麻醉	마취를 하다
	うつ病	うつびょう	depression	抑郁症，忧郁症	우울병
	抗うつ剤	こううつざい	antidepressant	抗抑郁症药物	항우울제
	けいれん		cramp, convulsion, spasm	痉挛	경련
	モルヒネ		morphine	吗啡	모르핀
	痛み止め	いたみどめ	painkiller	镇痛，止痛	진통제
	ぴたりと		just like that (onomatopoeia)	突然停止	딱
	日焼けした	ひやけした	suntan, sunburn	晒黑	햇살에 타다 , 햇볕에 타다
	(顔を)ほころばせる		break into (a smile)	绽，开	방긋이 웃다
	たいしたもの		quite, really something	真了不起	대단한 것
	煩悶	はんもん	anguish	烦闷	번민

12 国字作成のメカニズム (pp.98 ~ 105)

ページ	語彙	読み	英語	中国語	韓国語
98	メカニズム		mechanism	机械装置，机构	메커니즘
	初対面	しょたいめん	first meeting	初次见面	첫대면
	名刺	めいし	business card	名片	명함
	貴殿	きでん	you (formal written expression)	您	귀하
	姓	せい	family name	姓	성
	妙な	みょうな	odd, strange, unusual	奇怪，奇异；怪癖	묘한
	まともな		proper, legitimate	认真的，正经的	정상적인
	はずむ		to be lively; bounce	跳，蹦；高涨，起劲	활기를 띄다
	ものの一分も	もののいっぷんも	just a minute, only a minute	只要一分钟	고작 1 분정도만
	話に花が咲く	はなしにはながさく	to have a lively conversation	话讲得热闹起来	이야기 꽃이 피다
99	和製	わせい	made in Japan, Japanese-made	日本制	일제
	みずから		oneself	亲自	스스로
	勝手に	かってに	as one pleases	随便，任性	제멋대로
	一定の	いっていの	fixed, definite	一定的	일정한
	次第	しだい	how something happens	渐渐，缘由，经过	경위 , 방식
100	定着する	ていちゃくする	to become established	固定下来	정착하다
	規範的な	きはんてきな	standard, model	规范的，标准的	기준이 되는
	収録する	しゅうろくする	to include, print (in a book)	收录	수록하다
	施す	ほどこす	to provide, administer	施舍，周济	덧붙이다
	欄	らん	column (of a book)	栏	란
	印象	いんしょう	impression	印象	인상
	見なす	みなす	to consider, regard	看作，认为	간주하다
	圧倒的に	あっとうてきに	overwhelming	压倒的	압도적으로
	導き出す	みちびきだす	arrive at	得出，导出	이끌어내다
	誠実な	せいじつな	sincere, honest	诚实的	성실한
101	習熟する	しゅうじゅくする	to master, become proficient	熟习，熟练	숙달하다
	なりたち		origin, structure	成立的经过（情况、由来、原委）；构成，结构	성립과정 , 구성
	即座に	そくざに	immediately	立即，即刻，马上	즉석에서
	まれ		rare, unusual	稀，鲜，少	드물다
	準拠する	じゅんきょする	based on, in accordance with	根据，依照	준거하다
	例をあげる	れいをあげる	to cite an example	举例	예를 들다
102	そもそも		in the first place	最初，本来，原来	도대체
	跡	あと	remains, ruins	印，痕迹	유적
	木簡	もっかん	wooden plaque	古代的（木简）	목판
103	発掘する	はっくつする	excavate	发掘，挖掘	발굴하다
	事物	じぶつ	things	事物	사물
	概念	がいねん	concept, conception	概念	개념
	正規の	せいきの	regular, proper	正规的	정규적인
	格式	かくしき	formality, ceremony	格式	격식

ページ	語彙	読み	英語	中国語	韓国語
	一概にはいえない	いちがいにはいえない	one cannot generalize	不能一概而论	한마디로 말할 수 없다
104	缶詰	かんづめ	can	罐头	통조림
	海産物	かいさんぶつ	marine products	海产品	해산물
	貧弱な	ひんじゃくな	scanty, meager; feeble	贫弱的	빈약한
	流域	りゅういき	river valley, basin	流域	유역
	一生涯	いっしょうがい	one's whole life	一生，一辈子	일생애
	恵まれた	めぐまれた	blessed with	赋予，富有；得天独厚	풍족한
	ちまた		popularly; in public	社会，民間	항간
	寿司屋	すしや	sushi restaurant	“寿司”饭馆，“寿司”铺	초밥집
	湯飲み	ゆのみ	teacup, handleless mug	茶碗，茶杯	찻잔
105	補う	おぎなう	to supplement	补，补充，补上，补贴，补偿	보충하다

13 足の表現力（pp106～112）

ページ	語彙	読み	英語	中国語	韓国語
106	黒子	くろご	stagehand in Kabuki and Bunraku plays (clad in black)	文乐歌舞伎中穿黑衣或带黑头巾的配角	배우의 시중을 드는 사람
	尺度	しゃくど	yardstick, criterion	尺，尺寸；标准，尺度	척도
	普遍的な	ふへんてきな	universal	普遍的	보편적인
	聖化する	せいかする	to deify, exalt	洗礼，升华；帝王的德化	신성화하다
	対	つい	pair	成对，一组	짝，쌍
	下風に立つ	かふうにたつ	to be subordinate to	居于人下，在别人手下工作	낮은 위치에 있다
	脚	あし	leg	腿，脚	다리
	蔑視	べっし	contempt, scorn	蔑视	멸시
107	高貴な	こうきな	noble	高贵的	고귀한
	記述	きじゅつ	description, account (written)	记述	기술
	察する	さっする	sense, perceive, gather	推测，观察，想象，揣测	짐작하다
	支柱	しちゅう	pillar, support	支棍，支柱，架梁	지주
	排泄	はいせつ	elimination, discharge (of waste)	排泄	배설
	偏見	へんけん	prejudice	偏见	편견
	寄与する	きよする	contribute	贡献，有助于……	기여하다
	驚嘆する	きょうたんする	to admire, wonder at	惊叹	경탄하다
	熱狂的に	ねっきょうてきに	enthusiastic, ardent, wild	狂热的	열광적으로
	はしたない		vulgar, low	卑鄙，下流，不体面	상스럽다
	まくる		to roll up (sleeves, pant legs, etc.)	卷，卷起；揭下，剥掉	걷어올리다
	ショッキング		shocking	令人吃惊，使人震惊，令人毛骨悚然	쇼킹
	脚線美	きゃくせんび	beautiful legs	(女人的) 腿的曲线美	각선미
	ウエートがかかる		to attach greater importance to	加重量，负重，着重於	무게를 두다
	媒体	ばいたい	medium (of expression)	媒介，手段	매체
	山高帽	やまたかぼう	derby, bowler hat	黑色圆顶硬礼帽	중산모
	チョビ髭	チョビひげ	small moustache	一撮小胡子	짧은 수염
	よれよれの		rumpled	皱皱巴巴，满是褶皱	구깃구깃한
	タキシード		tuxedo	(男用) 无尾晚礼服，晚宴服	턱시도
108	だぶだぶな		baggy (onomatopoeia)	(服) 又肥又大，(人) 肥胖	헐렁헐렁한
	スタスタと		briskly (onomatopoeia)	急忙，飞快，匆忙	부리나케
	小刻みに	こきざみに	short, quick (steps)	切碎，切细；微微地颤抖	종종걸음으로
	ポーズ		pose	停顿，暂停；姿势	포즈
	受ける	うける	to earn popularity, hit	接受	받아들여지다
	緩急自在な	かんきゅうじざいな	to control speed at will	缓急自如	완급자재한
	抑える	おさえる	to restrain, control	抑制，控制	억누르다
	極力	きょくりょく	as much as possible	极力，尽量	힘을 다해
	ドジな		clumsy	失败的，有差错的	얼빠진
	カウボーイ		cowboy	牧童，牛仔	카우보이
	そろう		to match, be the same as	齐全，成双，成套	갖추다
	紡ぐ	つむぐ	to emanate a rhythm	纺（纱），纺纱织布	(실) 뽑다
	舞踊	ぶよう	dance	舞蹈	무용
	ステップ		(dance) step	踏板，阶蹬	스텝
	源流	げんりゅう	origin, source	水源，起源，起始	원류
	拍子	ひょうし	time, rhythm (in music)	节拍，拍子	박자
	カスタネット		castanet	响板（音乐）	캐스터네츠
	代行する	だいこうする	proxy, agent	代办，代理	대행하다
	タップ・ダンス		tap dance	踢踏舞	탭댄스
109	精霊	せいれい	spirit, soul	灵魂；精灵	정령 (죽은사람의영혼)
	鎮める	しずめる	to subdue, calm	镇，止住	진정시키다

ページ	語彙	読み	英語	中国語	韓国語
	征服者	せいふくしゃ	conqueror	征服者，战胜者	정복자
	棲む	すむ	to reside, inhabit, dwell	栖居	살다
	在来の	ざいらいの	traditional, native	旧的，原有的；以往的，通常的	재래의
	鎮圧する	ちんあつする	to suppress, crush	镇压	진압하다
	民俗	みんぞく	folk	民俗	민속
	儀礼	ぎれい	ceremony	礼仪，礼节	의례
	圧服	あっぷく	to overpower, intimidate	压制，压服	압복
	反復する	はんぷくする	to repeat	反复	반복하다
	演者	えんじゃ	performer	表演者	연기자
	舞台	ぶたい	stage	舞台	무대
	確保する	かくほする	ensure	确保，保证	확보하다
	超人的な	ちょうじんてきな	superhuman	超人的	초인적인
	なり変わる	なりかわる	turn into, transform	代理，代替	변화하다
	土間	どま	dirt floor	土地房间	봉당
	天井	てんじょう	ceiling	天花板	천정
	しつらえる		to furnish, contrive, provide	装饰，装修	장식하다，꾸미다
	蓋	ふた	lid	盖	덮개
	吊り下げる	つりさげる	to hang, dangle something	悬吊，悬挂	매달다
110	竈	かまど	cooking stove	灶，起灶	아궁이
	設ける	もうける	to establish, provide	设，设置；预备，准备	설치되다
	湯気	ゆげ	steam	蒸汽，热气	김，수증기
	立体	りったい	solid, three-dimensional	立体	입체
	表層	ひょうそう	surface	表层	표층
	深層	しんそう	depths	深层	심층
	魂	たましい	soul, spirit	魂	혼
	揺さぶる	ゆさぶる	shake up, shock, jolt	晃，摇；震动	뒤흔들다
	突如として	とつじょとして	suddenly	突如其来，突然	갑자기
	奪う	うばう	to seize, fascinate	夺，夺走，夺取	빼앗다
	洗練された	せんれんされた	refinement	精炼，千锤百炼；讲究的，高尚的	세련되다
	バレエ		ballet	芭蕾	발레
	相撲	すもう	sumo wrestling	相扑，日本式摔跤	스모
111	横綱	よこづな	champion wrestler	横網；最强者	요코즈나，천하장사
	土俵入り	どひょういり	ceremonial entrance into the sumo ring	上场仪式（相扑）	씨름판에서 하는 의식
	四股を踏む	しこをふむ	to stomp one's legs sumo-style	两脚交替高举用力踏地（相扑）	（씨름꾼이）땅을 구르다
	誇示する	こじする	ostentation, display	炫耀	과시하다
	独り相撲	ひとりずもう	one-man sumo; to make a fuss by oneself	唱独角戏；势力悬殊	혼자서 하는 씨름
	ひるがえって		reconsidering; fluttering	反过来，回过头来	한편으로
	一身に集める	いっしんにあつめる	to gather to oneself	集于一身	한 몸에 모으다
	渾然と	こんぜんと	in harmony	浑然	혼연하게
	合一する	ごういつする	union	合而为一，合成一个	합일하다
	吸い上げる	すいあげる	to absorb	吸上，抽上	들이마시다
	構え	かまえ	posture	格局，结构；架势，架式	자세
	駕籠かき	かごかき	palanquin bearer	抬轿人，轿夫	가마꾼
	力者	りきしゃ	strong servant-monk (carried palanquins and served officials and warriors as a bodyguard, but was tonsured)	卖力气的人	힘센 사람
	霊力	れいりょく	supernatural power	神灵不可思议的力量	영력
	六方を踏む	ろっぽうをふむ	to exit the stage with bold gesticulation	走台步（歌舞伎剧）	네 활개를 치며 등장하다
	要	かなめ	pivot, linchpin, vital point	扇轴；枢要，中枢，要点	요점
112	情緒	じょうちょ	emotion, sentiment	情趣，风趣	정서
	喚起する	かんきする	to rouse	唤起，引起；提醒	환기시키다
	喚び起こす	よびおこす	evoke, summon	唤醒，叫醒	불러일으키다
	幽霊	ゆうれい	ghost	幽灵，灵魂	유령
	強烈な	きょうれつな	intense, powerful	强烈的	강렬한
	発揮する	はっきする	to demonstrate one's strength	发挥	발휘하다

14 ソムリエの妻（pp114～119）

ページ	語彙	読み	英語	中国語	韓国語
114	私用	しよう	private business, errand	私事	사적인 볼일
	公用	こうよう	public; work-related	公事，公务	공적인 용무
	兼ねる	かねる	to combine	兼	겸하다
	崩れ落ちる	くずれおちる	crumble, collapse	崩溃	무너져내리다
	料亭	りょうてい	first-class restaurant	日本式酒家，日本式餐馆	요정

ページ	語彙	読み	英語	中国語	韓国語
	女史	じょし	Ms.	女士	여사
	会見	かいけん	interview	会见	회견
	居合わせる	いあわせる	to happen to be present	正好在场	마침 거기에 있다
	活々と	いきいきと	in a lively manner	活泼，生动，栩栩如生	생생하게
115	大惨事	だいさんじ	great tragedy	悲惨事件	대참사
	理想郷	りそうきょう	utopia	仙境，世外桃源，乌托邦	이상향
	危険を冒す	きけんをおかす	to brave danger	冒险	위험을 무릅쓰다
	救う	すくう	to save, rescue	救，救助，拯救	구하다
	復讐	ふくしゅう	revenge	复仇	복수
	発する	はっする	to utter, emit, give rise	发生，出发	내다
	現場	げんば	site, scene (of an event)	现场；工地	현장
	報復	ほうふく	retribution, revenge	报复	보복
	拒否する	きょひする	rejection, refusal	拒绝，否决	거부하다
	さかさまにする		upside down	倒，逆，颠倒	꺼꾸로 하다
	大意	たいい	gist, summary	要旨，大意	대강의 뜻
	呆れる	あきれる	to be exasperated, flabbergasted	吃惊，惊讶，吓呆，发愣	놀라다
	頬	ほお	cheek	脸颊，脸蛋	뺨
	さし出す	さしだす	to present, hold out	伸出，探出	내밀다
	詰問する	きつもんする	cross-examination, interrogate	追问，质问	따지다
	実り多い	みのりおおい	productive, fruitful	富有成果，收获，颇丰	결실이 많다
116	動機	どうき	motive	动机	동기
	憎悪	ぞうお	hatred, loathing	憎恶	증오
	択ぶ	えらぶ	to choose	选择	선택하다
	高貴さ	こうきさ	nobleness	高贵	고귀함
	自爆	じばく	suicide bombing	自行炸沉，自己爆炸	자폭
	テロ		terrorism	恐怖主义活动	테러
	辞さない	じさない	to not hesitate to, willing to	不辞，在所不辞	불사하다
	群集	ぐんしゅう	mob, crowd	群集	군중
	呼号する	こごうする	to call for, claim	号召，招唤	외치다
	信念	しんねん	values, beliefs	信念	신념
	ひるむ		to waver, hesitate	畏怯，畏缩	기가 꺾이다，겁을 먹다
	堂々としている	どうどうとしている	proudly, confidently	堂堂正正	당당하다
	威厳	いげん	dignity, presence	威严	위엄
	名誉	めいよ	honor	名誉，名声	명예
	言説	げんせつ	statement, remark	言论，言谈	언설，말
	相次ぐ	あいつぐ	successive	相继，一个接一个	계속되다
	論点	ろんてん	point at issue, perspective	论点	논점
	出つくす	でつくす	to exhaust the stock of ideas, fully express	和盘托出，都拿出来	다 나오다
	武力	ぶりょく	military force	武力	무력
	テロリズム		terrorism	恐怖主义	테러리즘
	列挙する	れっきょする	one after another; to list, enumerate	列举	열거하다
	反駁する	はんばくする	refutation, rebuttal	反驳	반박하다
	転載	てんさい	to reprint, reproduce	转载	전재
	軍事力	ぐんじりょく	military might	军事力量	군사력
	唯一	ゆいいつ	only, sole	唯一	유일
	やむを得ない	やむをえない	to be compelled to, have no choice	不得已	어쩔 수 없다
	貧困	ひんこん	poverty	贫困	빈곤
	絶望	ぜつぼう	despair	绝望	절망
117	代替	だいたい	substitute, alternative	代替，替代	대체
	法的	ほうてき	legal	法律上的	법적
	処理	しょり	handling, settlement; disposal	处理	처리
	有効な	ゆうこうな	effective	有效	유효한
	悪循環	あくじゅんかん	vicious cycle	恶性循环	악순환
	反論	はんろん	counter argument	反论	반론
	一面	いちめん	one side, one aspect	一面，一个侧面	일면，한쪽 면
	説得	せっとく	to convince, persuade	说服，劝导	설득
	尊厳	そんげん	dignity, majesty, respect	尊严	존엄
	制圧	せいあつ	control	压制	제압
	検討する	けんとうする	to examine, consider	讨论，探讨研究，考虑一下	검토하다
	明瞭な	めいりょうな	clear	明了，明确	명료한
	概念	がいねん	concept, conception	概念	개념

ページ	語彙	読み	英語	中国語	韓国語
	かくも		in this manner	这样，这般，如此	이렇게까지
	到底	とうてい	possibly, likely (usually negated)	究竟，到底	도저히
118	領域	りょういき	realm	领域	영역
	優越	ゆうえつ	superiority	优越	우월
	余地はない	よちはない	no room (for doubt)	没有余地	여지가 없다
	虚名な	きょめいな	empty name, false reputation	徒有虚名的	헛된 명성
	道義的	どうぎてき	moral	道义上	도의적
	行使	こうし	use, exercise	行使	행사
	自制する	じせいする	self-control	自制，自己克制	자제하다
	多かれ少なかれ	おおかれすくなかれ	more or less, to some extent	或多或少，多少	많든 적든

15 自然という書物（pp120～125）

ページ	語彙	読み	英語	中国語	韓国語
120	蜜	みつ	honey	蜜	꿀
	毒	どく	poison	毒	독
	蜘蛛の巣	くものす	spider web	蜘蛛网	거미집
	引っかかる	ひっかかる	to get caught	挂住，挂上，钩上	걸리다
	染まる	そまる	to be dyed (into cloth)	染上	물들다
	瑞々しい	みずみずしい	fresh, young, juicy	水灵，娇嫩	싱싱하다
	絞る	しぼる	to squeeze, ring out	拧，绞，榨	짜다
	数刻	すうこく	a few moments	数小时	몇 시간
	秘密	ひみつ	secret	秘密	비밀
	色彩	しきさい	color	色彩	색채
	原則	げんそく	general rule	原则	원칙
	周期	しゅうき	(life) cycle	周期	주기
	幹	みき	trunk	树干，骨干	줄기
	貯える	たくわえる	to store, hoard	储备，储存	비축하다
	実	み	berry, fruit	果实	열매
	みのる		to ripen	结果	열매맺다
	生気	せいき	vitality, life	生机，生气	생기
	謎	なぞ	mystery	谜	수수께끼，의문
	ちりばめる		to inlay, stud	镶嵌	아로새기다
121	一貫して	いっかんして	consistently, from start to finish	一贯	일관되게
	運行	うんこう	movement, working (of nature)	运行	운행
	法則	ほうそく	laws, principles (of nature)	法则	법칙
	細部	さいぶ	details	细节	세부
	浸透する	しんとうする	to permeate, infiltrate	浸透	침투하다
	司る	つかさどる	to manage, regulate	掌管，管理	지배하다
	徐々に	じょじょに	gradually, little by little	渐渐地，徐徐	조금씩
	膨らむ	ふくらむ	to expand, swell	膨胀，鼓起	부풀어오르다
	足がかり	あしがかり	clue, key	架子，脚手架，脚踏板	단서
	象徴	しょうちょう	symbol	象征	상징
	漠然と	ばくぜんと	vaguely	含混，含糊，笼统，模模糊糊	막연히
	的確な	てきかくな	exact, accurate	正确，准确	정확한
	含蓄ある	がんちくある	pregnant with meaning	含蓄，涵蓄；有言外之意	함축되다
	一点	いってん	point	一点	한 점
	するすると		slide, glide, slip	顺当，顺利地，痛快地	스르르
	紐	ひも	cord, string	绳	끈
	扉	とびら	door	门，门扉	문
	戸口	とぐち	doorway, entryway	房门，大门	입구
	闇	やみ	darkness	黑暗	어둠
	純粋な	じゅんすいな	pure	纯粹的，纯净的	순수한
	均衡	きんこう	equilibrium, balance	均衡，平衡	균형
	嬰児	みどりご	baby, infant	婴儿	갓난아기
	次元	じげん	dimension, sphere	次元，维度；着眼点，立场	차원
	移行する	いこうする	to shift	移动，转移	이행하다
	現象	げんしょう	phenomenon	现象	현상
122	まきかえす		to rewind, roll back	逆卷，倒卷；反攻，反扑，回击	되감다
	受肉	じゅにく	incarnation	脱身，神灵附体	수육，성육신
	藍	あい	indigo	蓼蓝，靛青	쪽
	刈取る	かりとる	to reap, cut	收割	수확하다
	発酵する	はっこうする	fermentation	发酵	발효하다

ページ	語彙	読み	英語	中国語	韓国語
	乾燥する	かんそうする	dry; to dry	干燥	건조하다
	蒅	すくも	indigo peat	蓝（一种染料）	폭 (염료의 일종)
	甕	かめ	jar, urn	广口瓶，瓮，罐	단지
	木灰汁	あく	lye	灰水，碱水	잿물
	石灰	せっかい	lime	石灰	석회
	等々	とうとう	etc.	等等	등등
	染料	せんりょう	dye	染料	염료
	仕上げる	しあげる	to finish, put the finishing touches on	加工，做完	완성하다
	芸	げい	art form, art	武艺，技能	기예
	見事に	みごとに	splendid	出色，漂亮	훌륭하게
	藍が建つ	あいがたつ	the indigo ferments and becomes a dye	泛蓝	남색 염료가 완성되다
	宿す	やどす	to be conceived, dwell (used of spirits, babies)	留宿	품다
	この世ならぬ	このよならぬ	out of this world, ethereal	不可能见得到，难得见到	이 세상에 존재하지 않는 듯한
	瞬間にして	しゅんかんにして	in a moment	一瞬间	순간적으로
	酸化する	さんかする	oxidation	氧化	산화하다
	見届ける	みとどける	to see with one's own eyes	看到，看准，看清	지켜보다
	打ち明ける	うちあける	to confide, confess	毫不隐瞒地说出	숨김없이 이야기하다
	期せずして	きせずして	unexpectedly, by chance	不期，偶然	예기치않게
	実践	じっせん	field work, actual practice	实践	실천
	開示	かいじ	display, disclosure	公布，宣告；明确指示	개시
123	分析する	ぶんせきする	to analyze	分析	분석하다
	観察する	かんさつする	to observe	观察	관찰하다
	おきかえる		to convert, replace	换到，挪到；调换	옮겨놓다
	理念	りねん	idea, ideology	理念	이념
	思考する	しこうする	to consider, ponder	思考，考虑	사고하다
	幻	まぼろし	vision, mirage	幻梦，幻影，幻想	환상
	神秘	しんぴ	mystery, mystique	神秘	신비
	ヴェール		veil	面纱	베일
	しまいこむ		to put away, sequester	放进，装入	넣어두다
	拡張する	かくちょうする	expanse, expansion	扩充，扩大	확장하다
	分割する	ぶんかつする	to divide, split	分割，瓜分	분할하다
	根底	こんてい	root, foundation	根基，基础	밑바탕
	永劫の	えいごうの	eternal	永劫的，永久的	영겁의
	創造する	そうぞうする	to create	创造	창조하다
	直観する	ちょっかんする	to intuit	直观	직관하다
	熟考する	じゅっこうする	to consider carefully, deliberate	仔细考虑，熟虑	숙고하다
124	従来	じゅうらい	traditionally	以前，从来	종래
	単なる	たんなる	mere, simple	(不) 仅仅，只不过	단순한
	相寄る	あいよる	to come together, converge	相互靠近，聚集	서로 다가서다
	顕現する	けんげんする	to manifest	显现	현현하다
	受苦	じゅく	to suffer hardship	受苦，受难	수고
	形態学	けいたいがく	morphology	形态学	형태학
	鉱物	こうぶつ	mineral	有色金属，矿物质	광물
	幅広く	はばひろく	wide-ranging, broad	广泛	폭 넓게
	魂	たましい	soul, spirit	魂，灵魂	혼
	入り込む	はいりこむ	to enter, entrench oneself	进入	깊숙히 들어가다
	嘘をつく	うそをつく	to tell a lie	撒谎	거짓말을 하다
	この上なく	このうえなく	to the highest degree	没有比这……，无比	더할 나위 없이
	過失や誤りをおかす	かしつやあやまりをおかす	to commit errors	犯错，犯过	과오와 실수를 저지르다
	ひたすら		tirelessly, ceaselessly	只顾，一味，一个劲儿地	한결같이
	神性	しんせい	divinity	神的性格	신성
	胸を開く	むねをひらく	to open one's heart	开怀，敞开胸怀	마음을 열다
	熟読する	じゅくどくする	to read thoroughly	熟读	숙독하다
	隠す	かくす	to hide, conceal	隐藏，隐瞒	숨기다
	提示する	ていじする	to present	提示	제시하다
	ころげ落ちる	ころげおちる	to tumble, fall	滚下，滚落	굴러 떨어지다
	豆粒	まめつぶ	bean, speck	豆粒	콩알
	目をみはらす	めをみはらす	to open one's eyes wide (with wonder or astonishment)	睁大眼睛直看	눈을 휘둥그레 뜨다

ページ	語彙	読み	英語	中国語	韓国語
16 鼻（pp126～135）					
126	寸	すん	a sun (3.03 cm)	寸	촌
	上唇	うわくちびる	upper lip	上唇，上嘴唇	윗입술
	顎	あご	chin	腭	턱
	腸詰め	ちょうづめ	sausage	灌肠，填塞肠子	소시지
	ぶらりと		dangle (onomatopoeia)	耷，拉	대롱대롱
	ぶら下がる	ぶらさがる	to hang, dangle	悬挂，吊着	매달리다
	昇る	のぼる	to rise, climb (used of the sun and personal rank)	升，升起	오르다
	内心	ないしん	deep inside one's heart	内心，心中	내심
	始終	しじゅう	always; from start to finish	始终，全部	시종
	苦に病む	くにやむ	to be distressed by, troubled by	病苦，痛苦	고민하다，괴로워하다
	さほど		so, such (usually negated)	（下接否定）并不那样……	그다지
	澄ます	すます	to keep a straight face, look serious; put on airs	澄清，使清澈	점잔빼다
	専念に	せんねんに	devotedly; to devote oneself to	专心致意，一心一意	열심히，전념해서
	浄土	じょうど	the Pure Land of Amitabha Buddha	净土，极乐世界	극락세계
	僧侶	そうりょ	Buddhist priest	僧侣	승려
	持て余す	もてあます	to find something unmanageable	无法对付，难于处理	어쩔지 몰라 난처해하다
127	膳	ぜん	low dining table; meal	膳，饭	밥상
	尺	しゃく	a shaku (0.303m)	勺	척
	拍子	ひょうし	time, moment	节拍，拍子	박자
	粥	かゆ	rice porridge	粥	죽
	自尊心	じそんしん	self respect	自尊心	자존심
	兼ねる	かねる	to combine; double as	兼	겸하다
	弟子	でし	disciple	弟子	제자
	知るべ	しるべ	acquaintance	熟人，亲友	지인
	気にかける	きにかける	to be concerned about	惦记，惦念	염려하다
	気軽な	きがるな	light-hearted	轻松的	가벼운
	口調	くちょう	tone, manner of speaking	语气	말투
	手数を掛ける	てすうをかける	to cause someone inconvenience	添麻烦	수고를 끼치다
	心苦しい	こころぐるしい	to feel sorry about	难过，难受	마음이 무겁다
128	説き伏せる	ときふせる	to talk someone into	说服，劝说	설복하다，설득하다
	策略	さくりゃく	strategy, scheme	策略	책략
	反感	はんかん	antipathy, disgust	反感	반감
	心持ち	こころもち	feelings, sentiments	心情，心绪	심정
	口を極めて	くちをきわめて	insistently	满口，极端	온갖 말을 다하며
	勧める	すすめる	to recommend, urge	劝，劝告	권하다
	勧告	かんこく	advice, counsel	劝告	권고
	ゆでる		to boil	煮	삶다
	くむ		to fetch (water)	打水，舀水	（물 등）푸다
	じかに		directly	直接，亲自	직접
	湯気	ゆげ	steam	蒸气，热气	수증기
	やけどする		to burn (oneself)	烧伤，烫伤	화상을 입다
	浸す	ひたす	to soak	浸，泡	담그다
	うだる		to be boiled, done	煮熟，热得浑身发软	삶아지다
	時分	じぶん	time, moment	时刻，时候	무렵
	熱湯	ねっとう	hot water	开水，热水	열탕
	蒸す	むす	to steam (food)	蒸	찌다
	蚤	のみ	flea	跳蚤	벼룩
	むずがゆい		itchy	刺痒痒	근질근질하다
129	床板	ゆかいた	floor board	地板	마루 바닥
	はげ頭	はげあたま	bald head	秃头	대머리
	責めて	せめて	hard, thoroughly	哪怕是……，至少	열심히
	上目を使う	うわめをつかう	upward glance, to look up at	眼珠朝上看；超过，超出	눈을 치뜨다
	あかぎれの切れる	あかぎれのきれる	to get chapped	皲裂，皲	튼 살이 갈라지다
	粟粒	あわつぶ	grain of millet	小米粒，谷粒	좁쌀알
	むしる		to pluck (feathers, hairs, etc.)	拔，薅，撕	잡아뽑다
	そっくり		all, just as it is	全部，完全	통채로
	丸焼き	まるやき	roasted whole	整烤	통구이
	毛抜き	けぬき	tweezers	拔毛	쪽집게

ページ	語彙	読み	英語	中国語	韓国語
	頬	ほお	cheek	脸蛋儿	볼
	膨らす	ふくらす	to puff out, swell (one's cheeks)	使……鼓起劲儿	부풀리다
	するなり		just as (it is; as one pleases)	（副）……或是……，也好……也好	하는 대로
130	物品	ぶっぴん	article, commodity	品物	물품
	不愉快な	ふゆかいな	unpleasant, uncomfortable	不愉快的	불쾌한
	患者	かんじゃ	patient	患者	환자
	不承不承	ふしょうぶしょう	reluctantly, unwillingly	勉勉强强，勉强答应	마지못해
	毛穴	けあな	pore	毛孔	털구멍 , 모공
	脂	あぶら	oil, grease	脂肪，油脂	기름 , 지방
	茎	くき	shaft, stem	茎，杆，梗	줄기
	一とおり	ひとどおり	once through, generally	大概，大略；一套，整套	웬만큼 , 대강
	一息つく	ひといきつく	to feel relieved, take a deep breath	歇口气	한숨 돌리다
	八の字を寄せる	はちのじをよせる	to knit one's brows	皱眉头	미간을 찡그리다
	不服	ふふく	discontent, dissatisfied	不服从；异议，抗议	불복
	いつになく		unusually, much more(less) than usual	和平时不一样，一反常态	평소와 다르게
	かぎ鼻	かぎばな	hooked nose	鹰勾鼻子	메부리코
	なでる		to stroke, rub	抚摸，抚摩	만지다
	きまりが悪い	きまりがわるい	embarrassed, sheepish	不好意思，磨不开	쑥쓰럽다
	おずおず		timidly, hesitantly	胆怯，提心吊胆	조심조심
	萎縮する	いしゅくする	withered, atrophied	萎缩	위축하다
	意気地なく	いくじなく	lacking confidence, courage, spunk	没骨头，没志气	힘 없이
	まだらに		dappled, in splotches	斑点，斑纹，斑驳	드문드문
131	目をしばたたく	めをしばたたく	to blink one's eyes	连续眨巴眼	눈을 깜박거리다
	誦経する	ずきょうする	to read the scriptures (aloud)	诵经	독경하다
	行儀よく	ぎょうぎよく	properly, in a well-behaved manner	有礼貌地	예의있게
	納まる	おさまる	to settle (in one's place)	装进，（被）缴纳	그대로 있다
	格別	かくべつ	in particular, especially	特别	각별 , 특별
	気色	けしき	sign, appearance	神色，面容；兆头，苗头	기색
	依然として	いぜんとして	as ever, still	依然	여전히
	功を積む	こうをつむ	to distinguish oneself, perform great deeds	积功	공적을 쌓다
	伸び伸びした	のびのびした	relaxed, free and easy	舒畅，舒适	자유롭고 느긋한
	折から	おりから	at that time, just then	正在那时，正在当时	때마침
	ろくろく		properly (onomatopoeia)	很好地，充分地	변변히
	じろじろ		to stare (onomatopoeia)	目不转睛地看，盯着	빤히
	行き違う	いきちがう	to pass by, walk by	一来一往没遇上；发生差错	스쳐지나가다
	こらえる		to restrain, control, fight back (tears, laughter)	忍耐，忍受，忍住	참다
	ふっと		to burst out (laughing) (onomatopoeia)	忽然，猛地；噗地（叹口气）	문득
	吹き出す	ふきだす	to burst out (laughing)	忍不住笑出声来	웃음을 터뜨리다
	言いつかる	いいつかる	to be told to do	被吩咐，被命令	명령을 받다
	面と向かって	めんとむかって	to one's face, face-to-face	当面，面对面	마주 보고
	慎む	つつしむ	to refrain from, control oneself	谨慎，慎重	정중하게 – 하다
	くすくす		to giggle (onomatopoeia)	小声笑，窃笑	킥킥 (웃는모양)
	説明がつく	せつめいがつく	to explain satisfactorily	付说明	설명이 되다
132	滑稽な	こっけいな	comical, ridiculous	滑稽的，可笑的	우스꽝스러운
	つけつけと		unreservedly, frankly	不客气地直言	서슴치 않고 함부로
	経文	きょうもん	sutra	经文	경문
	むげに		unceremoniously, bluntly	无阻碍，畅通无阻	몹시
	いやしい		low, vulgar, shabby, of humble birth	讨厌地，令人生厌地	천하다
	なりさがる		to be reduced, fall low	沦落，落魂，没落	전락하다
	さかえる		to prosper	繁荣，兴盛	번영하다
	しのぶ		to remember, recall (wistfully)	怀念，追忆，想念	그리워하다
	ふさぎ込む	ふさぎこむ	to become dejected	郁闷，不舒心，不痛快	우울해지다
	遺憾ながら	いかんながら	unfortunately, regrettably	遗憾	유감스럽다
	陥れる	おとしいれる	to entrap, plunge into misery	陷害，使陷入	빠뜨리다
	明	めい	insight, discernment	明智	통찰력
	矛盾した	むじゅんした	conflicting	矛盾	모순되다
	切り抜ける	きりぬける	to pull out of (difficulty)	突围，突破；摆脱，闯过	극복하다
	物足りない	ものたりない	unsatisfactory, lacking	感到有点欠缺，不够十全十美	부족하다
	誇張する	こちょうする	to exaggerate	夸张，夸大	과장하다
	敵意	てきい	hostility, antagonism	敌意	적의
	不快な	ふかいな	unpleasant, uncomfortable	不快的	불쾌한

ページ	語彙	読み	英語	中国語	韓国語
	僧俗	そうぞく	clergy and laity	僧侣和俗人	승속
	傍観者	ぼうかんしゃ	onlooker, bystander	旁观者	방관자
	利己主義	りこしゅぎ	egotism	利己主义，自私自利	이기주의
133	機嫌	きげん	mood, spirit	心情，情绪	기분
	二言目には	ふたことめには	every other word	一开口就说……	말을 꺼냈다하면
	意地悪い	いじわるい	mean, ill-tempered	坏心眼儿，心术不良	심술궂다
	療治	りょうじ	treatment	治疗	치료
	陰口をきく	かげぐちをきく	to gossip	背地里骂人，暗中说坏话	험담을 하다
	殊に	ことに	especially, particularly	特别，尤其，分外	특히
	けたたましく		noisy, shrill	喧嚣，嘈杂；尖锐	요란하게
	ほえる		to bark	叫，吼	짖다
	何気なく	なにげなく	casually	假装没事，坦然自若	별 생각없이
	きれ		end, bit, scrap	（刀）锋利；钝	조각
	振り回す	ふりまわす	to brandish, wave about	挥舞，抡起；滥用	휘두르다
	むく犬	むくいぬ	shaggy dog	长毛狮子狗	삽살개
	追い回す	おいまわす	to chase around	到处追赶	짓궂게 따라다니다
	はやす		to taunt, tease	起哄，大声嘲笑	같은 말을 되풀이하며 놀리다
	ひったくる		to snatch	抢夺	낚아채다
	したたか		severely, hard	强烈，厉害；大量，好多	강하게
	恨めしい	うらめしい	reproachful, bitter	可恨的，有怨气	원망스럽다
	塔	とう	stupa, tower, pagoda	塔	탑
	めっきり		significantly, appreciably	变化显著，急剧	부쩍
	寝つく	ねつく	to get to sleep	入睡，睡着	잠들다
	床	とこ	bed	床铺，被褥，褥子	잠자리
	まじまじする		to stare unblinkingly	睡不着，一会儿一睁眼	밤을 세우다
	むくむ		to swell (with edema)	浮肿，虚肿	부어오르다
	仏前	ぶつぜん	before a Buddhist altar, memorial tablet for the dead	佛龛前，佛前	불전
	香華	こうげ	incense and flowers	（供佛的）香和花	향화
	供える	そなえる	to offer (to the gods, the dead, Buddha, etc.)	供，献	올리다
	恭しい	うやうやしい	respectful, reverential	恭恭敬敬，毕恭毕敬	공손하다
134	敷く	しく	spread, lay down (cushions, blankets, etc.)	铺上一层，落满	깔다
	霜	しも	frost	霜	서리
	まばゆく		brightly, brilliantly	耀眼，晃眼	눈부시게
	縁	えん	narrow verandah	套廊，回廊	마루
	晴れ晴れした	はればれした	cheerfully, in high spirits	心情愉快，满脸高兴的样子	맑게 개다
	ささやく		to whisper	低声私语，咬耳朵	속삭이다
	ぶらつかせる		to let dangle, hang	使摇晃；使溜达	흔들거리게 하다
17 檸檬（pp136～145）					
136	不吉な	ふきつな	inauspicious, foreboding	不吉利的，不吉祥的	불길한
	塊	かたまり	lump	块儿，疙瘩	(좋지 않은) 기운
	始終	しじゅう	from start to finish	始终，开始和结尾	시종
	おさえつける		to repress, hold downs	摁住，压住	억누르다
	焦燥	しょうそう	fretfulness	焦躁	초조
	嫌悪	けんお	hatred, disgust	厌恶，令人讨厌	혐오
	宿酔	ふつかよい	hangover	醉到第二天	숙취
	一節	いっせつ	stanza (of a poem)	一节	한 구절
	辛抱がならない	しんぼうがならない	unendurable	无法忍耐，无法忍受	견디지 못하다
	蓄音器	ちくおんき	phonograph	留声机，唱机	축음기
	小節	しょうせつ	bar, measure (of music)	小节（音乐）	소절
	不意に	ふいに	suddenly, unexpectedly	冷不防，忽然	느닷없이
	居たたまらない	いたたまらない	cannot bear to stay	无地自容，呆不下去	가만히 있을 수 없다
	浮浪する	ふろうする	to lead a vagrant life	流浪	부랑하다
	みすぼらしい		shabby	难看，寒碜，破旧	초라하다
	よそよそしい		formal, impersonal	疏远，见外，冷淡	서먹서먹하다
137	がらくた		junk	不值钱的东西，破烂儿	잡동사니
	転がす	ころがす	to leave lying around; to roll	滚动，转动	굴리다
	むさくるしい		squalid, sordid	肮脏，邋遢	누추하다
	のぞく		to be showing; to peep	消除，去掉	엿보다
	蝕む	むしばむ	to eat into, erode	侵蚀，腐蚀	침식하다

ページ	語彙	読み	英語	中国語	韓国語
	趣のある	おもむきのある	appearance, look, atmosphere	有風韵的，有情趣的	풍취가 있다
	土塀	どべい	earthen wall	土墙，泥墙	토담
	勢いのいい	いきおいのいい	vigorous	劲头大，干劲足	기세좋게
	錯覚を起こす	さっかくをおこす	to hallucinate, see a mirage	产生错觉	착각을 일으키다
	安静	あんせい	peace and quiet	安静	안정
	がらんとした		empty, deserted	空旷，空落落	텅 비다
	清浄な	せいじょうな	clean	清洁，纯洁	청정하다，청결하다
	蒲団	ふとん	futon (mattress, bed)	坐垫，被褥，铺盖	이불
	蚊帳	かや	mosquito net	蚊帐	모기장
	糊のきく	のりのきく	well-starched	糨糊奏效	(풀기가) 빳빳하다
	浴衣	ゆかた	yukata (light summer/bath robe)	夏天穿的单衣；浴衣	유카다
	願わくは	ねがわくは	if only; to pray that	但愿	바라건데
	絵の具	えのぐ	paint	颜料，水彩	물감
	なんのことはない		nothing but; nothing to it	没有什么了不起，简单，容易	(알고 보면) 아무것도 아니다
	二重写し	にじゅううつし	overlapping	两次曝光，重叠摄影	오버랩
	見失う	みうしなう	to lose sight of	看不见，丢掉	잃다
	やつ		thing; fellow	这小子、东西（对人的蔑称）	것 (물건 혹은 사람)
	安っぽい	やすっぽい	cheap	不值钱	(싸구려) 티나는
	縞模様	しまもよう	striped pattern	斑马纹，格纹，条纹	줄무늬
	束	たば	bundle	束，捆，把	다발，묶음
138	そそる		to attract, entice	引起，勾起	자극하다，끌다
	打ち出す	うちだす	to decorate	压出，锤成；提出	도드라지게 하다
	おはじき		flat marbles	弹（玻璃球）	유리 구슬
	享楽	きょうらく	pleasure, enjoyment	享乐，享受	향락
	幽かな	かすかな	subtle, slight	微弱，微暗	어렴풋한，희미한
	涼しい	すずしい	cool	凉爽	시원하다
	落魄れる	おちぶれる	to come down in the world, sink low	衰败，落魄	보잘것없다
	蘇る	よみがえる	to be resurrected, reawakened	复苏，苏醒	되살아나다
	爽やかな	さわやかな	refreshing	清爽，爽朗	산뜻한
	漂う	ただよう	to drift, waft	漂，飘荡，漂浮	감돌다
	察しがつく	さっしがつく	to surmise, guess	想像到，体会到，觉察到	짐작이 가다
	慰める	なぐさめる	to comfort, console	安慰，宽慰	달래다
	贅沢な	ぜいたくな	luxury	奢侈，奢华，浪费	사치
	無気力な	むきりょくな	lethargic, spiritless	没精神的，缺乏朝气的	무기력한
	触覚	しょっかく	sense of touch	触觉	촉각
	媚びる	こびる	to flatter	献媚，巴结	아양을 떨다
	洒落た	しゃれた	elegant, stylish	诙谐的，幽默	멋지다
	典雅な	てんがな	graceful, elegant	雅典，雅致；斯文	전아한
	小一時間	こいちじかん	almost an hour	将近一小时	약 한 시간
	いっとう		top rank/level	最好的，一等的，一品的	가장
	重くるしい	おもくるしい	gloomy, oppressive	沉闷，郁闷，不舒畅	답답하다
	亡霊	ぼうれい	ghost	亡灵	망령
139	甲の友達から 乙の友達へ	こうのともだちから おつのともだちへ	from one friend to another	从这个朋友到那个朋友	어떤 친구에서 다른 친구로
	転々とする	てんてんとする	to wander from one place to another	辗转，转来转去	전전하다
	空虚な	くうきょな	empty, hollow	空虚，空的	공허한
	ぽつねんと		solitary, all alone	孤单单地，独自	홀로 쓸쓸히
	取り残される	とりのこされる	to be left behind	被留下，被剩下	남겨지다
	さまよう		to wander	彷徨	헤메다
	追いたてる	おいたてる	to drive away, push on	赶走，轰走，逼走	몰아내다
	立ち留まる	たちどまる	to halt, stand still	止步，停步	멈추어 서다
	露骨に	ろこつに	openly	露骨，直率，，毫无顾忌	노골적으로
	勾配	こうばい	incline, slope	倾斜面，斜坡	경사
	古びた	ふるびた	old, worn	变旧，陈旧	낡다
	漆塗り	うるしぬり	lacquered	漆器	옻칠
	華やかな	はなやかな	gorgeous, flamboyant	华丽的，华美的	화려한
	凝り固まる	こりかたまる	to congeal	凝固，凝块；热衷者，狂信者	엉겨서 굳어지다
	青物	あおもの	vegetables	青菜，蔬菜	야채
	堆高く	うずたかく	piled high, in heaps	堆得很高	높게
	いったいに		in general, on the whole	一带	대체로

ページ	語彙	読み	英語	中国語	韓国語
140	澄む	すむ	to be clear	清澈，澄清	맑다
	おびただしく		tremendously, in large amounts	很多，大量	엄청나게
	誘惑する	ゆうわくする	to tempt	诱惑	유혹하다
	打ち出す	うちだす	to project	压出，锤成；提出（主张）	튀어나오다
	廂	ひさし	eaves; visor of a cap	房檐，帽檐	(모자 등) 챙 , 차양
	眼深にかぶる	まぶかにかぶる	to pull one's hat down over one's eyes	把……戴到眼眉上	깊숙히 눌러쓰다
	やけに		awfully, extremely	胡闹发脾气，破罐破摔	몹시 , 마구
	驟雨	しゅうう	sudden rain shower	骤雨	소나기
	絢爛	けんらん	dazzle, gorgeousness	绚烂，富丽，豪华	현란
	ほしいままに		to one's heart's content, to the full	随心所欲，恣意，纵情	제 멋대로
	螺旋	らせん	screw, spiral	螺旋	나선
	きりきり		to the full, painfully	一绞一绞地疼	쿡쿡
	刺し込む	さしこむ	to pierce, stab	照进来，绞痛	지르다
	往来	おうらい	road	往来	왕래
	すかす		to peer through	装腔作势，装模作样	뽐내다 , 시치미를 떼다
	興がる	きょうがる	to be interested, fascinated	感觉有趣，高兴	흥겨워하다
	いつになく		unusually	一反常态，和平时不同	평소와 다르게
	ごく		most, very, extremely	极	매우
	ありふれた		common, unremarkable	常见，常有	흔한
	八百屋	やおや	vegetable stand	菜铺，蔬菜商店	채소가게
	いったい		by nature, originally	到底，毕竟，究竟	본디
141	チューブ		tube	管状物	튜브
	搾り出す	しぼりだす	to squeeze out	拧出，挤出	짜내다
	固める	かためる	to harden, congeal (something)	巩固；凝固，坚硬	굳히다
	丈が詰まる	たけがつまる	to shrink	短，少	줄어들다
	紡錘形	ぼうすいけい	spindle-shaped	纺锤形	방추형
	弛む	ゆるむ	to relax, be loosened	松弛	누그러지다
	しつこい		persistent	执拗，纠缠不休；浓，腻	끈덕지다
	憂鬱	ゆううつ	depression, melancholy	忧郁，郁闷，忧愁	우울
	顆	か	counter for fruit and other small, round objects	颗	개 (과일을 세는 단위)
	紛らす	まぎらす	to take one's mind off of, relieve (sorrow, etc.)	蒙混过去，掩饰	마음을 달래다
	不審な	ふしんな	dubious, suspicious	可疑的，有疑问的，不清楚的	미심쩍은 , 의심스러운
	逆説的な	ぎゃくせつてきな	paradoxical	反论的，僻论的；似是而非的论点	역설적인
	誰彼	だれかれ	to everyone, all and sundry	谁	이사람 저사람
	見せびらかす	みせびらかす	to show off	卖弄，夸示	과시하다
	掌	てのひら	palm of the hand	手掌	손바닥
	浸み透る	しみとおる	to seep into	渗透，湿透	스며들다
	嗅ぐ	かぐ	to smell, sniff	闻，嗅	(냄새를) 맡다
	きれぎれに		in fragments	(切成) 一片一片	조각조각
	ふかぶかと		deeply	深深地	깊숙히
	匂やかな	におやかな	fragrant	香郁的，芬芳的	향긋한
	ついぞ		never before	从来没有，从未	여태까지 한 번도
	ほとぼり		warmth, remaining heat	余热；社会上的议论	여열 , 열기
142	しっくりする		to fit perfectly	合适，适称，符合	잘 맞다
	弾む	はずむ	to be in good spirits	跳，蹦；高涨，起劲	들뜨다
	装束	しょうぞく	dress, attire	装束	옷차림
	闊歩する	かっぽする	to strut, swagger	阔步	활보하다
	マント		cape	斗篷，披风	망토
	あてがう		to hold against something	贴，贴在	대다
	反映	はんえい	reflection	反映	반영
	つねづね		always, ceaselessly	平常，平素	평소
	尋ねあぐむ	たずねあぐむ	to search desperately but unsuccessfully	不易寻找	찾지 못하다
	換算する	かんさんする	conversion (of money, units of measure, etc.)	换算	환산하다
	思いあがった	おもいあがった	to become conceited	自满，骄傲自大	우쭐해하다
	諧謔心	かいぎゃくしん	sense of humor	喜欢幽默，爱说俏皮话	익살
	馬鹿げた	ばかげた	ridiculous	愚蠢，荒唐，糊涂	터무니 없는
	やすやすと		easily, readily	轻而易举地	쉽게
	ずかずか		tromping, tramping (onomatopoeia)	没有礼貌地	성큼성큼
143	煙管	きせる	long pipe (for tobacco)	烟袋，烟锅子	담뱃대
	のしかかる		to lean forward; to weight upon	压在……上	(마음이) 가다

ページ	語彙	読み	英語	中国語	韓国語
	たてこめる		to fill up with; close tight	关闭，关上	자욱이 끼다
	克明に	こくめいに	scrupulously, in detail	认真仔细，细致	극명하게
	はぐる		to flip through, turn pages	掀起，翻过	(책을) 넘기다
	湧く	わく	to swell (used of courage, energy, interest, etc.)	沸腾，烧开	솟아나다
	呪う	のろう	to put a curse on	诅咒，咒骂	저주하다
	バラバラとやる		to riffle through pages (onomatopoeia)	零乱，凌乱	훌훌 넘기다
	堪え難さ	たえがたさ	difficult to withstand, unbearable	不堪忍受	참기 어려움
	筋肉	きんにく	muscle	肌肉	근육
	群れ	むれ	herd, group	群，伙	무리 , 떼
	晒す	さらす	to expose	晒，暴晒	응시하다
	尋常な	じんじょうな	ordinary, average	普通，一般	보통인
	そぐわない		out of keeping with, out of place	不相称，不合拍	어울리지 않다
	袂	たもと	kimono sleeve	和服的袖子	소맷자락
	ゴチャゴチャに		in a jumble (onomatopoeia)	乱糟糟，杂乱	어수선하게
	軽やかな	かろやかな	light	轻松，轻快	경쾌하게
	手当たりしだいに	てあたりしだいに	whatever comes to hand, anything one can lay one's hands on	抓到什么算什么，遇到什么拿什么	닥치는 대로
144	慌ただしく	あわただしく	busy, rushed	慌张，匆忙	조급하게
	つぶす		to destroy, smash	弄碎，弄坏	부수다 , 무너뜨리다
	築く	きずく	to build	构筑，修建	쌓다
	引き抜く	ひきぬく	to pull out, extract	拔出，抽出	뽑아내다
	奇怪な	きかいな	strange, bizarre	奇怪的，古怪的	기괴한
	幻想的な	げんそうてきな	fantastic, illusory, dreamy	幻想的，不现实的	환상적인
	跳る	おどる	to dance, leap	跳，蹦；高涨，起劲	두근거리다
	心を制する	こころをせいする	to control one's emotions	控制人心	마음을 억제하다
	頂	いただき	summit, peak	顶，顶部	정상
	恐る恐る	おそるおそる	gingerly, cautiously; fearfully	战战兢兢，提心吊胆	조심조심
	据えつける	すえつける	to affix	安装，安设	고정시켜 놓다
	上出来な	じょうできな	well done, excellent	结果非常成功的	썩 잘 된
	ガチャガチャした		to be in a mess; to rattle	杂乱无章	뒤죽박죽이다
	諧調	かいちょう	harmony	谐调	조화
	ひっそりと		quietly	偷偷地，悄悄地	조용히
	吸収する	きゅうしゅうする	to absorb	吸收，汲取	흡수하다
	カーンと		clang (onomatopoeia)	寒彻，冷彻	쾅 하고
	冴える	さえる	to be clear, sharp, bright	寒冷	선명해지다
	埃っぽい	ほこりっぽい	dusty	满是灰尘	먼지가 많다
	たくらみ		scheme, plot	企图，阴谋	음모
	ぎょっとする		to be startled, shocked, frightened (onomatopoeia)	紧紧地	섬뜩하다
	なにくわぬ顔	なにくわぬかお	a look of feigned innocence	若无其事的面孔	천연덕스러운 얼굴
	くすぐったい		ticklish	发痒，痒痒	쑥스럽다
	すたすた		to walk briskly (onomatopoeia)	急忙，飞快	빠른걸음으로
	爆弾	ばくだん	bomb	炸弹	폭탄
	悪漢	あっかん	villain, scoundrel	坏蛋	악한
145	追求する	ついきゅうする	to pursue	追求	추구하다
	気詰まり	きづまり	constrained, ill at ease	发窘	답답함
	こっぱみじん		in tiny fragments	粉碎，七零八落，落花流水	산산조각
	奇体な	きたいな	curious, grotesque, fantastic	不可思议的，奇异的	기이한
	彩る	いろどる	to color, decorate	上色，涂上颜色；化妆，装饰	장식하다

上級学習者向け日本語教材　日本文化を読む
PC: 7008139

上級学習者向け日本語教材

日本文化を読む

解答

1 途中下車（8〜11ページ）

問1 二人は何となく態度が落ち着かなくなり、口数が減っていった。

問2 「途中下車」とは人生上の目的を放棄して、途中で降りることであり、具体的には東京での大学受験を放棄して、熱海で降りたこと。

また、この後も、筆者の人生において、当初の目的と違うようなことがあったので「最初の」を入れたと思われる。

問3 仲のよい二人にとっては積極的に働き掛けると、互いに気まずくなる恐れがあると感じている心理状態。

問4 打ちひしがれて、ほかにどうしていいかわからない状態。

問5 友人に嘘をついたこと。そして、消えなかった理由は、その嘘が友人の人生にとって大きな意味を持ったかもしれないと、「私」にはわかっていたから。

まとめ

1 受験という目的を放棄することになった熱海での途中下車が、大きく人生を変えるという、人生の「途中下車」と重なるから。

2 人生には、何かのきっかけで本来の目的を途中で変えるということがあるが、それはある種のターニングポイントとなり、その人のその後に大きな影響を与える。

2 愛情としつけ（12〜21ページ）

問1 愛着と自律という一見相反したものを適当にブレンドしながら、子どもの行動能力に応じて親子関係を変化させていっている。

問2 腹に抱かれていたものが、腰に乗るようにし向けられ、手での介添えもなくなっていく、という変化。

問3 母への依存性と自律性との葛藤が特徴であり、具体的にいうと、母に抱かれる安堵感と腰に自発的に飛び乗る快感との葛藤である。

問4 今と昔の子育ての感覚があまりにも違うから。筆者の時代はサルの子同様にきびしく扱われたが、今の若い母親は、子どもを抱き起こし、あやすという、甘い育て方になっているから。

問5 キタキツネの例：成長速度が速く、単独生活者であることから、子別れも劇的なものになる。

アナウサギの例：成長速度が速いので比較的早い子別れになる。

ニホンザルの例：成長速度も遅く、群れをつくる動物なので、子別れもゆるやかなものになる。

問6 親は生後一カ月ごろからこどもを自律させようと攻撃行動に出るが、子どもはそれに反抗し、依存性を高めるという行動に出るためにおこる、親子間の葛藤。

問7　子別れをしなければならない、というけじめの時。

問8　咬む行動から威嚇するだけに終わる攻撃に変化。

問9　親和的関係が強く長く続くこと。また、離乳のために気をそらすこともあること。

問10　母子関係の中でのいくつかの変化の時期。

まとめ

1　霊長類の場合、成長期間が長いため、刷りこみや臨界期、ドラスティックな子別れといった現象はなく、徐々に変化していくことが特徴。

2　母子の関係において起こる、いくつかの変化の山を乗り越えること。

3　贈るかたちと意味（22～27ページ）

問1　「この二つ」とは、社会的に慣習化されたものと、自由意思による贈り物。

例として、冠婚葬祭の贈り物は前者に入るが、誕生日やバレンタインのプレゼントは後者であろうか。ここでの「自由意思によるもの」とは、ボランタリー精神による贈り物を指している。

問2　私たちは一人で生きているものではないので、贈り物の交換なしには社会生活は存続できない、という意味。

問3　どんな時でも、人とかかわっていたいという、厄介な動物の意。

問4　例えば、相手のことを思っている、または尊敬しているようなこと。

問5　例えば、災害救援時の、物資的援助だけではなく、精神的ケアなどの援助のようなもの。

問6　（それぞれ話し合ってみよう。）文中では例として「アルバム」が挙げられている。

まとめ

1　（それぞれ話し合ってみよう。）現代では例えば災害時や途上国へのＯＤＡなど、世界で助け合う「自由意思による贈りもの」の重要性が増してくるため、その内容、質が問われる。物資だけに依存するのでは「互酬性」から抜け出せないであろう。

2 冠婚葬祭などの贈り物は簡素化される傾向にある。

4 鞄（28〜33ページ）

問1 当然、青年は採用されることを願って会社に来たのだと思った「私」の気持ち。

問2 「結局ここしかない」という思わせぶりになりかねない口上をさりげなく言った、自然な態度。

問3 青年が自ら会社を選んだと思ったのに、鞄の重さが選んだと言ったから。

問4 職を選ぶその人に意志がなく、鞄が仕事先を選ぶ、ということであり、何度でもここにたどりつくことを意味している。

問5 鞄についての私の受け答えがあまりにも即物的で、青年が思う象徴的な鞄への思いとかけ離れていたので、相手にならないという思い。

問6 相手にされなかった私は、これを言うことで、相手にされなかった自分の位置を優勢に持っていきたいという気持。

問7 「私の道」は「下宿と勤め先の間」の道路を指し、「青年の道」は人生の道ともいうべき抽象的なものを指している。

問8 考えること自体からの解放、例えば選んだり迷ったりすることから解放されることを「自由」としているのではないか。

まとめ

1 例えば、自分の力ではどうにもならない、定められた「運命」のようなものを象徴しているのではないか。

2 作者は、人間には完全な自由というものはなく、我々がいう自由とは真の自由ではなく、束縛や制限の中で選び取った自由ではないか、と考えているようだ。

5 平成おとぎ話（34〜41ページ）

（一） 日本人は「諍」と「友」の両立が難しい（34〜36ページ）

問1 中日両国間に行き違いがあったりして、必ずしも簡単な話し合いではなさそうだったから。

問2 それまでの劉さんの、周りの緊張をほぐす大人ぶりと、さらに「そういうことで」という言葉の中に「諍」と「友」を入れた冗談に対して、顔をほころばせた。

まとめ

1 タイトルにあるように、「友」を成り立たせるためには、「諍」をしてでも、互いに意見を出し合い、ゆっくりと思っていることを話し合うことが必要である、と考えている。

（二）アイヌの昔話「父親殺し」の物語（38～41ページ）

問1 たとえば、模範となるべき親の世代の生き方への反発のようなものが考えられる。

問2 個人主義の定着した欧米では、日本より葛藤は強いと思うが、近年では日本でも父・息子間の殺人が増えている。（それぞれ話し合ってみよう）。

問3 男の子は母親に性愛を感じ、無意識的に父親を亡きものにしたいと思っていること。

問4 人間と自然、神との間や、生と死、などの境目がきつくなく、すべてがつながり循環して全体性を保っている社会。

まとめ

1 物語の中で象徴的に親殺しをやることによって、親を乗り越え、成長していけるので、物語は成長時に必要なものであるから。

6 「主人」から「夫」へ（42～47ページ）

問1 「主人」という言葉に対して、それを使いたくないという強い思い。双方ともに深く愛し合った対等の二人の関係である結婚において、上下関係を表すような言葉は使いたくないから。（この課の最後のページ、参照。）

問2 「主人」という言葉の持つ本来的な意味や語源性。

問3 「生活改善グループ」の人たちが自主的に「主人」という言葉を使うのを止めたことが「いい話」で、さらに他人の夫を「ご主人」の代わりに「夫さん」と決めたことが「一段といい話」、と言っている。

問4 女性たちが真面目《まじめ》に決めたことをちゃかすような、挿絵と言葉がついたから。

問5 女が自由に動いているかのように見えても、実は男の意思の範囲の中で動かされている、という意味。

まとめ

1 言葉にこだわることによって、暮らしの中に根ざした人間関係（平等性、男社会の中の女性のあり方など）を見詰め直すことができると思うから。

7 安楽死ということば（48〜53ページ）

問1 老衰で死を迎えた人が、そのまま自然に死なせてもらえること。（現代ではこうした病人は延命治療を施されることが普通で、自然に死ぬことは難しい。）

問2 専門家として病人の身近にいるのは医者だけであったから。

問3 身近な人間が生きる見込みがなく苦しんでいる場合、安楽死を試みるのは人情だ、と考えている。

問4 法律家が安楽死させた医者を「殺人」者にしたくなかったから。

問5 死をもたらすのは医者だけでない、ということを暗示している。

まとめ

1 安楽死に患者の側からの選択肢があることに思い至らない医者が多い、と言い、批判的に見ているが、それは必ずしも医者を否定しているわけではない。

2 患者の身になって、「楽に死ぬ」ということがどういうものかを考えて、どんな道があるかを共に探れる、と考えている。

8 わすれ傘（54〜67ページ）

問1 ほかの子どもたちの中で、一年生を相手にして言い争いたくない気持ちで言った。

問2 傘の話をしているのに、持ち主の子どものことをかあさんが聞いたから。

問3 新しく家族の一員として入ってきたとうさんは、これから家族の思い出をつくろう、という強い思い。

問4 とうさんは別に家庭を持っていたのではないか、と考えていた。

問5 洋の言葉が、考えまいとしていたことを言い当てていて、不安になり、言葉が出なかった。

問6 かあさんは、思いがけず、今まで築いてきたものが壊れそうになるという不安。
洋はその母の不安を察し、自分の中にも増してきた説明しがたい不安。
一年ぼうずは、上級生が自分の母の傘を持っていたという、どうしようもない怒り。

問7 飲み屋の雰囲気にのまれたから。

問8 これまでの不安がすっかり消えたから。

問9 自分のことなのに、かあさんが、洋に聞けと言ったから。

まとめ

1 (それぞれ話し合ってみよう。)

2 大人が考える家族というものを、子どものまなざしで見詰め直し、考えさせる効果。

9 リーダーシップ論 (68～82ページ)

問1 「任せたから勝手にやれ」ではなく、本人の自主性は尊重し、必要ならば助言をする、という態度。

問2 事が起こった時に慌てふためかず、その場の事情がそのまま見えてきて、対処できるため。

問3 「運、不運」は神だけが決めるものではなく、人間の、小さな分岐点の決断にあるもの、と思っている。

問4 アムンセンは少年の時から極地探検家を志しており、心身両面からの鍛錬を怠らず、機会あるごとに実施の体験をつんでいた。一方、スコットの極地探検は自ら望んだものではなく、マーカム卿にお膳立てされたものである、という事情に根ざしている。

問5 スコットは、イギリス海軍式の階級制度を取り入れた運営で、隊員に対して従順を要求した。一方、アムンセンは、隊員の自主性を尊重するチームワークで運営した。

問6 四人で十分だったのに、ケガをした隊員を外さず、補強隊員を加えた。その結果、チームワークにぎごちなさが生まれ、心身ともに隊員を疲れさせることになった。

問7 ちょっと試してみてうまくいかなかったことを、うまくいかないものだと決めてしまう態度。

問8 リーダー自らが平常心をもって決断し行動することが必要。

問9 事が起こったときに、対処するための名案。心が柔軟であれば、その場の事情はありのまま見えてきて、自ら考えなくても、次々と浮かんでくるから。

問10 いよいよ出発だという、待ち望んでいた思いとともに、余裕あるニュアンスが感じられる。

問11 組織の経営者に雇われている社長で、敷かれたレールの上に置かれたトップ。

まとめ

1 ①組織の共同の目的を設定し分配すること。
②その目的を達成する方法は各自に任せること。
③情勢の変化に臨機応変の術がとれること。

2 アムンセンは、経験による隊長としての心構え、隊の運営方法、すべての面でスコットより優れていると評価している。

3 （それぞれ話し合ってみよう。）

4 （それぞれ話し合ってみよう。）

10 魚の骨（84〜88ページ）

問1 老医師のころとはちがい、美容院かと思うほどの明るく軽い感じ。

問2 魚の名前を聞くことが科学的だとは思っていないから。

問3 以前、魚の骨を取ってもらいに来た患者と医師とのやりとりを聞いたことがあり、その同じ医院で、今度は自分が魚の骨を診てもらうことになった、という点。

問4 以前の患者が、高級魚の「スズキ」と言ったので、自分も見栄を張って同じ高級魚である「タイ」と言ってしまった。

問5 友人に「手の感触」まで持ち出され、言い返しても仕方がない、という思い。

まとめ

1 自分より年若い医師に対し、子どもっぽい感じを受けている。

2 前半では「魚の骨」一つをめぐってのやりとり。後半では、同じ「魚の骨」をめぐって、記憶のあいまいさを述べているところ。

11 痛いといわなければ、痛くないのと同じです（90〜97ページ）

問1 タイトルや「もし人が痛みを感じなかったら長くは生きられない」などを手掛かりに、話し合ってみよう。

問2 大腿骨の関節や脊椎に生じた障害。

問3 患者自身の痛みは医師に実感できないため、医師が触れようとしない傾向があるから。

問4 ある部分が障害を受けると、その刺激が神経末端の受容器で受けとられ、末梢神経から脊髄を経て脳の視床と呼ばれる部分に伝えられる。そこからさらに、脳の皮質に放射されて痛みとして認識されるから。

問5 共にミッチェルが発見したもの。
「幻肢痛」は、切断されてすでにない手、足が痛むもので、手足を切断した人たちの七、八％に生じる。
「カウザルギー」は貫通銃創など銃弾で末梢神経が傷つけられた人たちの約五％に起こり、痛みの特徴は激しい灼熱痛で、傷がすっかり治ってからもいつまでも続く。

問6 「科学的」であるということが、「病因が究明され発病のメカニズムが解明されて、はじめて、その病気の治療法が確立される」という考え方であるなら、痛みのメカニズムが解明されていない今、治療は不可能ということになる。

問7 医者、医学への不信感があるところに、他人事《ひとごと》のように言う医師にあきれはて、苦々しく思っている。

問8 明治のころも、まさしく「痛いといわなければ、痛くないのと同じ」で、痛みは患者本人にしかわからないものであった。今に至っても変わらない、という思いがあるから。

まとめ

1 痛みは脳の記憶や感情と深い関係があるものとされながら、現在それらのメカニズムは解明されていない。従って、痛みに対する完全な治療法はまだ確立されていない、と考えられている。

12 国字作成のメカニズム（98〜105ページ）

問1 「辻」という漢字が中国にはないものであり、また当時中国には日本人が少なく珍しかったから。

問2 （それぞれ出し合ってみよう。）

問3 大多数は形声文字で、意味を表す要素である「意符」と、発音を表す「音符」の組み合わせで作られている。

問4 国字が中国でも使われるようになったこと。例：「腺」「働」など。

問5 「伊委之（イワシ）」のように、漢字の意味に関係なく、その音や訓を利用して日本語を表記したもので、『万葉集』で使われているのでそう呼ばれている。

まとめ

1 漢字は表意文字であり、中国には存在しない事物については文字が作成されなかったから。

2 ①会意の方法で作られたもの・・・鱈、鰯、躾など
②形声の方法に準拠して作られたもの・・・鐺、鋲、搾など
③二つの漢字を合成したもの・・・麿、粂など

13 足の表現力（106～112ページ）

問1 文楽における黒子は、人形を前面に押し出すことで自らの存在を隠すものであるが、足もそのような存在であった。

問2 文明化した社会においては人間は身体を上・中・下と分け、上を聖化したため、足は下風に立たざるをえないものとなった。

問3 女性が足を見せるのははしたないと考えられた時代。

問4 足が表情の媒体となったこと。それは、サイレント・フィルムでは言葉よりも身体に大きくウェートをおいたため。

問5 足で身体の動きの独特のリズムを作り上げた点は同じであるが、キートンは上半身の表現を極力抑えることで、感情までをも足で表し、チャップリンよりも足の表現力を強く前面に押し出した。

問6 タップ・ダンスは、スペイン舞踊同様、手でできる音を足に代行させているということ。

問7 手の代行をさせるという役割を持つ足の側面のこと。

問8 反閇には、足で土地の精霊を踏み鎮める役割があるという考え方。

問9 演者が足で強く舞台または大地を踏むという行為は、表面的には「抑える」ことを意味するが、実際には、大地の精霊とのつながりを確保するという意味も含まれているということ。

問10 奥三河の花祭りに見られるように、祭りの場が征服者（白開＝天・頭部）と被征服者（竈＝地・脚）との二つの部分から成った身体のような立体空間（トポス）。

問11 踊りにおいて上手に生かされた反閇が、人の魂の底まで揺さぶった瞬間。

問12 前述の「瞬間」が突如として現れて、観客の心を奪ってしまった状態。

問13 足が頭部まで支配してしまう効果。

問14 横綱の土俵入りや四股を踏むこと。

問15 六方。

問16 表現力の強い足が、それを欠くことによって、逆に強い情緒を喚起することができることの例。

問17 （それぞれ話し合ってみよう。）

まとめ

1 （それぞれ話し合ってみよう。）

14 ソムリエの妻（114〜119ページ）

問1 9・11の同時多発テロ事件直後、バーバラ・ウォルターズ女史が行ったTVの会見番組を、アイリーン・ディッシュが見て、ドイツの週刊誌に記事を載せた。それを筆者が読んで書いた。

問2 大惨事の最中にもかかわらず、市民は互いに助け合い、わが身の危険を冒しても他人を救おうとした。市長も、市民が必要とすることを冷静に具体的に指示した。それらを意味している。

問3 夫の思いに反して、復讐とか報復を考えること。

問4 自分の夫が殺されたら、復讐とか報復とかいう考えが浮かぶのが普通だが、ソムリエの妻は逆にそれらを戒めているから。

問5 彼女がいなければ、復讐・報復一色で染まった国と見られるであろうアメリカを、彼女がいたことで、それだけの国ではないという見方に導いたから。

まとめ

1 アメリカに対する、我々の見方を考えさせる存在。それは、一つの考えに凝り固まらず、多様な意見も表明できる、アメリカの懐の深さをも示した存在。

2 超大国であるアメリカが武力行使をする際には、自制という大きな道義的責任がある、と筆者は考えている。

15 自然という書物（120〜125ページ）

問1 アリスのように、穴の向こうは未知の不思議の世界が広がっていた、ということ。

問2 筆者が漠然と求めていた感覚の世界に、的確な足がかりを与え、色彩世界の扉へと導いてくれたもの。

問3 色は自然界からとれるものだが、緑だけは、直接、植物の緑からは出ないことから、「別のもの」という意味が含まれている。

問4 ①目に見える現象を当たり前のこととして無意識に受け入れること。
②分析し、観察し、量の世界に置き換える近代科学の道。
③この目で見たものを、なぜ、いかにしてこうなったのかと、一つの理念に向けて思考する道。

問5 自然界の光と、人間の精神とが相寄ったときに顕現する宇宙のメッセージであり、光の行為と受苦である。

問6 一体化するかのように、植物がゲーテの中に入り込み、ゲーテの熱意に応えて植物は最も単純な形を見せてくれた、ということ。

まとめ

1 ひたすら自然に向かってその神性に触れようと願う者には、胸を開いて秘密を見せてくれる。願う者には知りたいことを教えてくれる教科書のようなもの。ゲーテはそれを熟読したから。

16 鼻（126〜135ページ）

問1 年齢は五十過ぎで、僧としては内道場供奉という高い地位にある。

問2 五十歳を越えた分別のある年齢に加え、地位も高く要職についているにもかかわらず、たかが「鼻」という外見ごときで傷つけられる、その程度のもの。

問3 弟子が自分を説き伏せて、鼻を短くする法を試みさせるだろう、ということ。

問4 弟子が自分の鼻をまるで物品のように取り扱うことを、不愉快に思っている。

問5 急に没落した人が、栄えていたころをしみじみ思うような様子で、ふさぎ込んでしまう。

問6 鼻はまともになったのに、人はなぜ以前にもまして笑うのか、という疑問。

問7 人間の心理を見抜く聡明さがなかった、ということ。

問8 人は他人の不幸に同情するが、その人がそれを切り抜けると物足りなくなり、同じ不幸に陥れてみたいような気になるものである。さらに、消極的ではあるが、敵意を抱くようになるという、当事者ではない自分本位の考え方。

問9 笑われないために鼻を短くしたのが、かえって笑われることになり、問題解決には至らなかった、という中途半端さをいう。

問10 見慣れた長い鼻に戻ったので、もう笑われないだろう、と思ったから。

まとめ

1 人の笑いの底にある心理に気付かない単純な人物であり、外見だけを気にする俗物的な人物。

2 顔の中心にあるがために、「鼻」はその人の象徴になり得る。その存在に目を付けた作者は、いかなる聖職にあっても人はそれに拘泥《こうでい》するものであることを、描こうとした。（当事者の心理）
また、人の不幸をあげつらう、傍観者の自分本位な心理をも、描こうとした。（傍観者の心理）

17 檸檬（136～145ページ）

問1 肺尖カタルや神経衰弱などによる身体の衰弱と、毎日酒を飲むという自堕落な生活からくる、倦怠感漂う状態。

問2 想像の街を彷徨《ほうこう》している自分を思い描くことで、自堕落な暮らしを送る現実から逃れ出ることを楽しんだ。

問3 小さなガラス玉の持つ、かすかに涼やかな感触。

問4 心身が蝕まれている今、唯一明るく華やかなものとして入ってきている。

問5 物としての形のない華やかな音楽が、形あるものに変わった、それが果物というイメージで描かれている。

問6 もともと好きなレモンであったが、疲れていた自分にとって、色といい形といい、これこそが探し求めていたと思わせるもの。

問7 しつこい憂鬱が、レモン一個ぐらいで紛らわされるという、嘘のような本当のこと。

問8 すべての善いもの美しいものを、レモン一個の重量に換算した重さ。

問9 心身の疲れていた時は、美の殿堂である丸善は入りにくかったが、その日はレモンの力を借りて勇気が出たから。

問10 ゴチャゴチャに積みあげた画集類。

問11 積みあげた画集類の上に、爆弾のようにレモンを乗せ、なにくわぬ顔で外へ出ること。

まとめ

1 抽象的な「美」というものをレモンに託し、人生で慰められるものは「美」にのみある、ということを、作者は表したかったのではないだろうか。

上級学習者向け日本語教材　日本文化を読む
PC: 7008139